CLASSIQUES LAROUSSE

Collection fondée en 1933 par FÉLIX GUIRAND
continuée par
LÉON LEJEALLE (1949 à 1968) et JEAN-POL CAPUT (1969 à 1972)
Agrégés des Lettres

J.-J. ROUSSEAU

DU CONTRAT SOCIAL

extraits

avec une Notice biographique, une Notice historique et littéraire,
des Notes explicatives, une Documentation thématique,
des Jugements, un Questionnaire et des Sujets de devoirs,

par

MADELEINE LE BRAS
Ancienne élève de l'École normale supérieure
Professeur de philosophie au C.N.E.P.C.

édition remise à jour

D1403192

LIBRAIRIE LAROUSSE

17, rue du Montparnasse, 75298 PARIS

RÉSUMÉ CHRONOLOGIQUE
DE LA VIE DE JEAN-JACQUES ROUSSEAU
1712-1778

1712 — **Naissance à Genève**, le 28 juin, de **Jean-Jacques Rousseau**, fils d'Isaac Rousseau, horloger. Sa mère meurt le 7 juillet. L'enfant sera élevé par la sœur de son père, Suzanne Goncerut.

1719-1720 — Rousseau lit avec son père des romans, puis des moralistes et des historiens.

1722 — Le père de Rousseau quitte Genève, s'installe définitivement à Nyon. Jean-Jacques est mis en pension avec son cousin chez le pasteur Lambercier, à Bossey, près de Genève, jusqu'en 1724.

1724 — De retour à Genève, Rousseau entre en apprentissage chez un greffier. Il habite chez son oncle.

1726 — Contrat d'apprentissage pour cinq ans chez un graveur, Abel Ducommun. Isaac Rousseau se remarie.

1728 — Jean-Jacques Rousseau quitte Genève, va à Annecy, où il **rencontre Mme de Warens** (mars), qui l'envoie à l'hospice des **catéchumènes de Turin**, où il **abjure le protestantisme** (avril). Resté à Turin, il est laquais chez Mme de Vercellis pendant trois mois, puis entre au service du comte de Gouvon.

1729-1730 — De retour à Annecy, il s'installe chez Mme de Warens, puis passe quelques mois au séminaire des lazaristes et devient pensionnaire à la maîtrise de la cathédrale. Mme de Warens étant partie pour Paris entre-temps, Rousseau va à Fribourg, à Lausanne, donne des leçons de musique à Neuchâtel.

1731 — Il devient interprète d'un faux archimandrite, dont il est séparé à Soleure par l'ambassadeur de France; puis il va à Paris, revient à Chambéry auprès de Mme de Warens, travaille au cadastre de Savoie pendant huit mois.

1736 — **Premier séjour** de Rousseau et de Mme **de Warens aux Charmettes.**

1737 — Majeur selon la loi genevoise, Rousseau se rend à Genève pour recueillir l'héritage maternel. Sujet à des troubles de santé qui l'inquiètent de plus en plus, il va à Montpellier consulter le docteur Fizes. Rencontre de Mme de Larnage.

© *Librairie Larousse*, 1973.   ISBN 2-03-870165-2

1738-1739 — Retour aux Charmettes, où il est reçu assez froidement; il s'instruit seul par des lectures.

1740 — Rousseau précepteur des fils de M. de Mably, à Lyon.

**
*

1742 — Arrivée à Paris : introduit par Réaumur, Rousseau lit à l'Académie des sciences son *Projet concernant de nouveaux signes pour la musique,* pour lequel il reçoit un certificat.

1743 — Jean-Jacques devient secrétaire de M. de Montaigu, qu'il accompagne à son poste d'ambassadeur à **Venise,** en passant par **Lyon, Marseille, Gênes, Milan** et **Padoue.**

1744 — Après s'être brouillé avec M. de Montaigu, il revient à Paris par le Simplon et Genève.

1745 — Rousseau se lie avec une jeune lingère, Thérèse Levasseur (mars). — Il achète un opéra, *les Muses galantes.* Il entre en relation avec Diderot et Condillac. Il retouche *les Fêtes de Ramire,* œuvre conjointe de Voltaire et de Rameau.

1746 — Secrétaire de Mᵐᵉ Dupin, chez qui, à Chenonceaux, il compose *l'Allée de Silvie.* — Naissance de son premier enfant, déposé à l'hospice des Enfants-Trouvés.

1747 — Mort de son père. — A Chenonceaux, il écrit *l'Engagement téméraire* (comédie).

1749 — Chargé par d'Alembert d'écrire **les articles sur la musique dans l'Encyclopédie,** Rousseau fait la **connaissance de Grimm.** Visite à Diderot, emprisonné au donjon de Vincennes : projet de participer au concours proposé par l'académie de Dijon.

**
*

1750 — L'académie de Dijon couronne le *Discours sur les sciences et les arts,* qui sera publié à la fin de l'année.

1751 — Compte rendu du *Discours* de Rousseau dans le *Mercure.* Rousseau copie de la musique pour gagner sa vie. Lettre à Mᵐᵉ de Francueil, dans laquelle il explique pourquoi il a mis ses enfants aux Enfants-Trouvés (avril). — Plusieurs réfutations du *Discours* paraissent de septembre à décembre. Rousseau y répond.

1752 — *Le Devin du village,* opéra-comique, est représenté avec un vif succès à Fontainebleau devant le roi (octobre). Rousseau ne se rendra pas à l'audience à laquelle Louis XV l'a convoqué. — *Narcisse ou l'Amant de lui-même* (comédie de jeunesse) est joué par le Théâtre-Français en décembre.

1753 — *Le Devin* est joué à l'Opéra. *Lettre sur la musique française,* écrite en 1752. Querelle avec l'Opéra (décembre).

1754 — Rousseau, accompagné de Thérèse, **retourne à Genève, revient au calvinisme** et recouvre son titre de citoyen. Il échafaude de nombreux projets littéraires.

1755 — *Discours sur l'origine de l'inégalité.* Echange de lettres avec Voltaire à ce sujet. Il séjourne à la Chevrette, chez Mᵐᵉ d'Epinay.

1756 — Le docteur Tronchin offre à Rousseau le poste de bibliothécaire à Genève. Rousseau et Thérèse s'installent à l'**Ermitage, chez M**me **d'Epinay** (avril). **Lettre à Voltaire sur la Providence** (août). — Il dépouille les manuscrits de l'abbé de Saint-Pierre et en tire l'*Extrait du projet de paix perpétuelle* et la *Polysynodie*, où il trouve l'expression de ses propres idées. — Il commence à écrire ce qui sera *la Nouvelle Héloïse*.

1757 — Brouille, puis réconciliation avec Diderot (mars-avril). **Passion pour M**me **d'Houdetot**. Refus de Rousseau d'accompagner M**me** d'Epinay à Genève (octobre), ce qui entraînera son congé de l'Ermitage en décembre. **Il se brouille avec Grimm** (novembre). **Installation chez le maréchal de Luxembourg,** au jardin de Montlouis, à Montmorency.

1758 — *Lettre à d'Alembert sur les spectacles* (mars), réponse à l'article « Genève », dans le tome VII de l'*Encyclopédie*, que Rousseau a reçu en décembre 1757. La **rupture avec Diderot** est consommée en juin.

1759 — Réparations de Montlouis : Rousseau est logé pendant ce temps au petit château de Montmorency (mai à juillet). Visites quotidiennes de Rousseau au maréchal de Luxembourg. En novembre, il refuse une place de rédacteur au *Journal des savants*.

1761 — *Julie ou la Nouvelle Héloïse* paraît à Paris (janvier) avec un vif succès; nombreuses critiques de l'ouvrage à Genève. — Publication de la *Préface à « la Nouvelle Héloïse »*, ou *Entretiens sur les romans* (février). — *Essai sur l'origine des langues*, soumis à Malesherbes (fin septembre).

1762 — *Lettres à M. de Malesherbes* (janvier-février). *Du contrat social* (avril). — L'*Émile* paraît (mai), est confisqué par la police, dénoncé à la Sorbonne, **condamné par le parlement.** Rousseau est décrété de prise de corps et **s'enfuit** aussitôt vers la Suisse, puis arrive à Yverdon, dans le canton de Vaud, tandis que l'*Émile* est brûlé à Paris. Ce dernier, ainsi que le *Contrat social* sont mis sous scellés à Genève, qui décrète Rousseau de prise de corps. L'auteur quitte Yverdon pour Môtiers, dans le val de Travers, partie de la principauté de Neuchâtel appartenant à la Prusse. — Mort de M**me** de Warens (juillet). — Rousseau commence à porter l'habit arménien.

1763 — *Lettre à Christophe de Beaumont* (mars), en réponse au mandement de ce prélat contre l'*Emile*. Rousseau reçoit la naturalité neuchâteloise et renonce à la bourgeoisie de Genève.

1764 — *Lettres écrites de la montagne.* Rousseau **se passionne pour la botanique.** A la suite de la parution à Genève, en décembre, d'un libelle anonyme (rédigé en fait par Voltaire), *le Sentiment des citoyens,* révélant que Rousseau a abandonné ses enfants, ce dernier décide d'écrire ses *Confessions.*

1765 — *Lettres à M. Buttafuoco sur la législation de la Corse.* — Chassé de Môtiers, Rousseau va à l'**île Saint-Pierre,** sur le lac de Bienne, où il passe deux mois; il s'enfuit à Strasbourg, vient à Paris et est **invité à se rendre en Angleterre** par Hume.

1766 — **Rousseau quitte Paris en compagnie de Hume;** installation à Chiswick (janvier), puis à Wootton (mars). **Brouille, peu après, entre Hume et Rousseau,** qui exposent par libelles leurs griefs réciproques; l'opinion se passionne à ce sujet en Angleterre, puis en France.

1767 — George III, roi d'Angleterre, accorde une pension annuelle de cent livres sterling à Rousseau (mars). Celui-ci quitte Wootton (mai), passe quelques jours à Amiens, puis s'installe successivement à Fleury-sous-Meudon, chez le marquis de Mirabeau, et à Trye, près de Gisors, chez le prince de Conti. Brouille de Rousseau avec son ami Du Peyrou. — *Dictionnaire de musique* (novembre).

1768 — Rousseau confie un certain nombre de manuscrits (dont une partie des *Confessions*) à Mᵐᵉ de Nadaillac, abbesse de Gomerfontaine. — Vie errante : il part pour Lyon, avec sa bibliothèque et son herbier, va à Grenoble, passe à Chambéry, s'installe à Bourgoin.

1769 — Rousseau, installé à Monquin, pense un moment ne pas poursuivre ses *Confessions* (avril); il en continue pourtant la rédaction (novembre). Il cherche à se défaire de son herbier et de ses ouvrages de botanique.

⁎

1770 — Il se rend à Lyon, souscrit à la statue de Voltaire, **rentre à Paris,** où il s'installe **rue Plâtrière.** Il redemande ses manuscrits à Mᵐᵉ de Nadaillac et **achève probablement les *Confessions,*** dont il commence à faire des lectures confidentielles (décembre).

1771 — Il poursuit ses lectures privées, que Mᵐᵉ d'Epinay s'efforce de faire interdire (mai). — Début de ses relations avec Bernardin de Saint-Pierre (juillet).

1772 — Achèvement des *Considérations sur le gouvernement de Pologne.* Il dresse la liste de ses copies de musique.

1774 — Relations avec le compositeur allemand Gluck. Rousseau compose une nouvelle musique pour *le Devin du village.*

1775 — Représentation à la Comédie-Française de *Pygmalion,* sans l'aveu de Rousseau : grand succès.

1776 — Fin des *Dialogues : Rousseau juge de Jean-Jacques,* commencés en 1772. Rousseau en confie le manuscrit à Condillac. **Composition de la première promenade des *Rêveries du promeneur solitaire.*** — A Ménilmontant, Rousseau est renversé par un chien et s'évanouit; l'accident est sans gravité (octobre).

1777 — Situation matérielle difficile. Thérèse est malade depuis longtemps.

1778 — Rousseau se rend à **Ermenonville,** chez le **marquis de Girardin.** — Il y **meurt** le 2 juillet et est inhumé dans l'île des Peupliers. Ses cendres seront transférées au Panthéon en 1794.

ŒUVRES POSTHUMES : *Confessions* (les six premiers livres en 1782, édition complète en 1789). — *Rêveries du promeneur solitaire* (1782). — *Dialogues : Rousseau juge de Jean-Jacques* (1789).

Rousseau avait dix-huit ans de moins que Voltaire; cinq ans de moins que Buffon; un an de plus que Diderot; deux ans de plus que Condillac; cinq ans de plus que d'Alembert; vingt-cinq ans de plus que Bernardin de Saint-Pierre.

JEAN-JACQUES ROUSSEAU ET SON TEMPS

	la vie et l'œuvre de Jean-Jacques Rousseau	le mouvement intellectuel et scientifique	les événements historiques
1712	Naissance à Genève (28 juin).	Fénelon : Dialogue des morts. Marivaux : Pharsamon ou les Folies romanesques.	Victoire de Denain.
1728	Il quitte Genève, rencontre Mᵐᵉ de Warens. Converti à Turin.	Voltaire : la Henriade. Marivaux : publication de la Seconde Surprise de l'amour.	Découverte du détroit de Béring.
1729	Retour à Annecy. Séminaire.	Voyage de Montesquieu à travers l'Europe. Marivaux : la Nouvelle Colonie ou la Ligue des femmes.	Traité de Séville entre l'Angleterre et l'Espagne.
1736	Premier séjour aux Charmettes avec Mᵐᵉ de Warens.	Lesage : le Bachelier de Salamanque. Voltaire : le Mondain.	Convention franco-autrichienne pour régler la succession de Pologne.
1742	Projet concernant de nouveaux signes pour la musique.	Voltaire : Mahomet (tragédie). Ed. Young : Pensées nocturnes. Abbé Prévost : traduction de Pamela, de Richardson.	Traité de Berlin entre l'Autriche et la Prusse. Marie-Thérèse d'Autriche repousse les propositions de paix de Fleury (guerre de la Succession d'Autriche).
1745	Les Muses galantes (opéra). Début des relations avec Diderot.	Montesquieu : Dialogue de Sylla et d'Eucrate. Voltaire : la Bataille de Fontenoy.	Guerre de la Succession d'Autriche : victoire française à Fontenoy (11 mai).
1747	Mort de son père. L'Engagement téméraire (comédie).	Voltaire : Memnon, qui deviendra en 1748 Zadig. Découverte du principe du paratonnerre par Franklin. Fondation de l'École des ponts et chaussées de Paris, par Trudaine. Mort de Lesage.	Disgrâce du marquis d'Argenson. Révolution orangiste en Zélande. Guerre franco-hollandaise.
1750	Discours sur les sciences et les arts, couronné par l'académie de Dijon.	Rédaction du Prospectus de l'Encyclopédie par Diderot. Voltaire se rend à Berlin.	Lutte entre Machault d'Arnouville et les privilégiés. Dupleix obtient le protectorat du Carnatic.
1752	Le Devin du village (opéra-comique).	Voltaire : Poème sur la loi naturelle; Micromégas. Interdiction des deux premiers volumes de l'Encyclopédie (février), puis reprise de l'œuvre en	Kaunitz, chancelier d'Autriche l'année suivante, pratiquera une politique de rapprochement avec la France.

	Vie et œuvres de Rousseau	Les lettres et les arts	Les événements historiques
1755	Discours sur l'origine de l'inégalité.	Mort de Montesquieu. Voltaire s'installe aux Délices. Greuze : le Père de famille.	Les Anglais occupent l'Acadie et déportent les habitants. Rupture diplomatique franco-anglaise.
1758	Lettre à d'Alembert sur les spectacles.	Helvétius : De l'esprit. Diderot : le Père de famille; Discours sur la poésie dramatique. D'Alembert quitte l'Encyclopédie.	Choiseul devient secrétaire d'État aux Affaires étrangères. Les Russes occupent la Prusse orientale.
1761	La Nouvelle Héloïse. Essai sur l'origine des langues.	Marmontel : Contes moraux. Greuze : l'Accordée de village.	Guerre de Sept Ans : prise de Belle-Île par les Anglais.
1762	Lettre à M. de Malesherbes. Du contrat social. Émile. Rousseau doit prendre la fuite.	Diderot : ébauche du Neveu de Rameau. Gluck : Orphée. Début de la construction du Petit Trianon par Gabriel.	Avènement de Catherine II en Russie. En France, le parlement supprime l'ordre des Jésuites. Procès et exécution de Calas.
1764	Lettres écrites de la montagne. Rousseau décide d'écrire ses Confessions.	Voltaire : Dictionnaire philosophique; Jeannot et Colin. Mort de Rameau. Beccaria : Traité des délits et des peines.	Mort de Mme de Pompadour. Condamnation de la famille Sirven. Expulsion des jésuites de France (novembre).
1767	Dictionnaire de musique.	Voltaire : l'Ingénu. Diderot : cinquième Salon. Lessing : Minna von Barnhelm. Expérience de Watt sur la machine à vapeur.	Expulsion des jésuites d'Espagne (mars). Révision du procès Sirven.
1770	Fin probable de la rédaction des Confessions.	Diderot : les Deux Amis, drame bourgeois. S. Mercier : le Déserteur, drame (date d'impression). D'Holbach : le Système de la nature.	Mariage du Dauphin (futur Louis XVI) avec Marie-Antoinette. Exil de Choiseul.
1772	Considérations sur le gouvernement de Pologne.	Voltaire : Épître à Horace. Ducis : Roméo et Juliette (d'après Shakespeare).	Le parlement Maupeou (1771). Premier partage de la Pologne.
1776	Rousseau juge de Jean-Jacques. Première promenade des Rêveries.	Letourneur : traductions de Shakespeare. Restif de La Bretonne : le Paysan perverti.	Déclaration de l'Indépendance américaine (4 juillet). Premier ministère Necker.
1778	Mort de J.-J. Rousseau à Ermenonville (2 juillet).	Diderot : Essai sur les règnes de Claude et de Néron; Essai sur la vie de Sénèque. Buffon : les Époques de la nature. Mort de Voltaire. Houdon : statue de Voltaire.	Alliance entre la France et les États-Unis d'Amérique.

BIBLIOGRAPHIE SOMMAIRE

René Hubert — *Rousseau et l'Encyclopédie, Essai sur la formation des idées politiques de Rousseau* (Paris, Gamber, 1928).

Robert Derathé — *J.-J. Rousseau et la science politique de son temps* (Paris, P. U. F., 1950; nouv. éd. Vrin, 1970).

Pierre Burgelin — *la Philosophie de l'existence de Jean-Jacques Rousseau* (Paris, P. U. F., 1952).

Jean Starobinski — *la Transparence et l'obstacle* (Paris, Plon, 1958).

René de La Charrière — *Études sur la théorie démocratique, Spinoza, Rousseau, Hegel, Kant* (Paris, Payot, 1963).

Michel Launay — *Rousseau* (Paris, P. U. F., 1968). — *J.-J. Rousseau écrivain politique* (Paris, Nizet, 1977).

Raymond Polin — *la Politique de la solitude. Essai sur la philosophie politique de J.-J. Rousseau* (Paris, Sirey, 1971).

Jean Roussel — *Rousseau en France après la Révolution* (Paris, A. Colin, 1971).

Pierre Dagueressar — *Morale et Politique. Jean-Jacques Rousseau ou la Fonction d'un refus* (Paris, Lettres modernes, 1978).

Gérard Namer — *Rousseau et la sociologie de la connaissance. De la créativité au machiavélisme* (Paris, Klincksieck, 1978). — *Le Système social de Rousseau : de l'inégalité économique à l'inégalité politique* (Anthropos, 1980).

Edna Krygger — *la Notion de liberté chez Rousseau et ses répercussions sur Kant* (Paris, Nizet, 1979).

Jean Sgard et Michel Gillot — *le Vocabulaire du sentiment dans l'œuvre de Jean-Jacques Rousseau* (Slatkine, Genève, 1981).

DU CONTRAT SOCIAL
1762

NOTICE

Ce qui se passait aux environs de 1762. — En politique. *La guerre de Sept Ans (Angleterre et Prusse contre France, Autriche et Russie) est commencée depuis 1756. Choiseul est au pouvoir depuis 1761. Janvier 1761 : capitulation de Pondichéry. Août 1761 : le Pacte de famille consacre l'alliance des Bourbons d'Espagne et de Naples avec Louis XV. 1762 : exécution de Calas ; dissolution de la Compagnie de Jésus.*

En littérature. *En 1760, Voltaire :* Tancrède; *Mirabeau :* Lettres sur les corvées; *Palissot :* Comédie des philosophes. *En 1761 : Diderot publie l'*Éloge de Richardson *et travaille à l'Encyclopédie (1er volume de planches). En 1762, publication de l'*Émile *de Rousseau ; mort de M*me *de Warens, protectrice de Rousseau.*

Dans les arts. Architecture : *Gabriel construit le Petit Trianon, tandis que Soufflot poursuit l'achèvement de l'église Sainte-Geneviève (Panthéon).*

Musique : *En 1762, Gluck : première représentation d'*Orphée *à Vienne.*

Peinture : *Boucher, Chardin, Greuze (l'Accordée de village au Salon de 1761).*

Sculpture : *Bouchardon, Pigalle, Falconet.*

Le « contrat social » avant Rousseau. — La notion de contrat social est antérieure à l'œuvre de Jean-Jacques Rousseau. Cette idée d'un pacte conclu entre les hommes, qui serait à l'origine de toute société, n'était pas neuve en 1762, et l'on peut en retrouver des exemples dès le XVIe siècle. Parmi les multiples ouvrages de philosophie politique des XVIe, XVIIe et XVIIIe siècles qui abordent cette question, nous ne citerons que les plus marquants.

Au XVIe siècle : *Du droit des magistrats* (1575), de Théodore de Bèze. L'auteur y déclare que les magistrats, et en particulier le roi, ne sont légitimes que par le consentement du peuple, et qu'un roi régnant sans ce pacte fondamental ne serait qu'un tyran. « Par conséquent, ceux-là ont la puissance de déposer un Roy, qui ont puissance de le créer. » Idée menaçante, on le voit, pour la royauté;

De la puissance légitime du prince sur le peuple et du peuple sur le prince (1579) de Duplessis-Mornay et Hubert Languet (titre latin : *Vindiciae contra tyrannos*). Cet ouvrage distingue deux contrats à la base des sociétés : l'un est « entre Dieu, le roy et le peuple »; l'autre « entre le roy et le peuple, à savoir que le peuple obéiroit fidèlement au roy qui commanderoit justement » — contrat à la fois religieux et politique. Là encore, l'absence de contrat avec le monarque usurpateur justifie sa mise hors la loi. Dans ces deux ouvrages, issus de la réforme protestante, circule un courant de pensée audacieuse qui annonce les époques suivantes.

Au XVIIᵉ SIÈCLE : la notion de contrat social existe chez presque tous les grands théoriciens politiques : Jurieu, Hobbes, Bossuet, Grotius, Spinoza, Locke. Citons, en particulier : *Leviathan* (1651), de Thomas Hobbes, qui cherche à fonder sur un contrat social l'autorité monarchique absolue. L'homme est par nature en guerre avec son semblable; c'est le règne de la force. Cependant, un certain calcul utilitaire peut y intervenir quand l'homme s'aperçoit qu'il lui serait plus profitable de ne pas agir selon ses instincts du moment et veut conquérir alors une paix durable, plus agréable que l'état de guerre initial. Il renonce ainsi, par pur égoïsme d'ailleurs, à une partie de sa force, à condition que ses semblables fassent de même envers lui. Ainsi s'établit une première ébauche de pacte, fondée sur la peur, l'utilité et un calcul rationnel : c'est la « loi naturelle ». Pour que la paix s'établisse de manière plus solide, les hommes seront amenés à ajouter à ce premier contrat un second, par lequel ils se donneront un représentant, chargé de leur imposer au besoin le maintien du premier contrat, et qui sera leur souverain. Le souverain, dès lors, a tout pouvoir sur eux, puisqu'ils lui ont abandonné (aliéné) leur force volontairement. L'absolutisme est donc légitime. L'État a tous les droits : il est l'âme de ce corps gigantesque qu'est un peuple, comparable au monstre terrifiant et bizarre que la Bible nommait Léviathan;

Traité politique et *Traité théologico-politique* (1670) de Benoît Spinoza. Le célèbre philosophe y soutient une théorie voisine de celle de Hobbes, mais moins absolutiste. Il croit, comme Hobbes, à la puissance des passions, puis à l'intervention de la raison, qui fonde un pacte ayant en vue la sécurité de chacun et l'utilité. L'homme conserve pourtant sa liberté propre, et le droit de penser ce qui lui plaît, c'est la limite où s'arrête le pouvoir de l'État et du souverain. Le roi, chez Spinoza, est moins absolu;

Du gouvernement civil (1690), de John Locke, dont Rousseau écrira : « Locke, en particulier, a traité les mêmes matières exactement dans les mêmes principes que moi. » *(6ᵉ Lettre de la Montagne.)* Locke s'oppose radicalement à Hobbes; pour lui, l'état de nature n'est nullement un état de guerre, mais un état libre et raisonnable où la raison tempère la liberté. Cet état de nature subsistera dans la société même après que les hommes auront confié à un souverain, par contrat, le droit de punir injustices et crimes impartialement. Le souverain est un arbitre, mais il n'est pas plus libre que les autres hommes, et les sujets peuvent toujours user de leurs droits naturels, même contre lui, s'il est reconnu qu'il est injuste. Il n'est pas excepté de la justice générale. Le recours à la force est permis à tous contre un roi qui viole l'équité et menace leur vie ou leur liberté; ils ne lui ont cédé que le droit de punir, et ils peuvent le reprendre s'il n'en est plus digne.

Ainsi, le XVIIᵉ siècle est-il nettement partagé entre deux courants d'idées opposées : théories absolutistes (Hobbes, Bossuet); théories libérales, voire séditieuses (Jurieu, Grotius, Spinoza, Locke). Les premières sont comme exacerbées par la menace des secondes; mais on retrouve en toutes un point commun, plus ou moins développé : l'idée d'un pacte nécessaire à toute entente, d'un indispensable contrat social, idée qui vient tantôt ébranler, tantôt affermir le pouvoir.

AU XVIIIᵉ SIÈCLE : l'ouvrage fondamental de philosophie politique antérieur à celui de Rousseau est *l'Esprit des lois* (1748), de Montesquieu. Ce livre remarquable, qui eut un immense succès, devait influencer bon nombre des remarques du *Contrat social*, en particulier par ses analyses pénétrantes des rapports entre lois et pays, lois et mœurs, par la netteté avec laquelle il dégage les notions d'honneur, de vertu, et, surtout, de volonté générale : « la volonté du souverain est le souverain lui-même ». Mais Montesquieu ne discute pas la notion même de contrat social; sans doute parce que cette notion, comme celle de l' « état de nature », paraît dès lors évidente et acquise. Il s'intéresse à d'autres problèmes. Le mérite de Rousseau sera de les rassembler tous autour de la notion de contrat, et d'y ajouter, toujours centrées sur cette notion, ses vues originales.

En 1751, un professeur genevois, Burlamaqui, publia des *Principes de droit politique*, qui devaient également influencer beaucoup Rousseau, citoyen de Genève. Bien des idées de Burlamaqui se retrouveront dans le *Contrat*. Mais, outre ces deux antécédents directs, la pensée de J.-J. Rousseau, telle que l'expriment ses œuvres antérieures à 1762, se révèle mûre pour l'élaboration de ce livre, dont elle était depuis longtemps préoccupée.

L'œuvre de Rousseau avant le « Contrat social ». — Le problème social fut, durant toute la vie de Rousseau, une de ses préoccupations majeures et même l'un de ses tourments. Les *Confessions* nous montrent en lui un homme farouchement individualiste, épris de liberté, qui constamment se heurte à des « autrui » détestables ou bons, dont il reçoit humiliations et faveurs selon leur bon vouloir. Rousseau, pauvre, fier, original, hypersensible, est, dans une certaine mesure, ce que nos psychiatres nommeraient un « inadapté social ». Fut-il souvent le principal responsable des incidents qui le blessèrent? nous ne saurions discuter ici ce problème très complexe. Il fallait toutefois le noter, pour expliquer qu'aux yeux de Rousseau la société « telle qu'elle est » ait paru si exécrable, et qu'en revanche il ait formé le rêve, d'abord purement lyrique, puis organisé, réfléchi, « rationalisé », d'une société idéale, sans injustices, sans vexations, sans caprices, où tous les hommes, égaux, obéiraient à des lois impersonnelles et nécessaires comme le sont les saisons, la naissance ou la mort. Ainsi, de Rousseau vagabond ou persécuté naît Rousseau législateur. En 1762, Mme de Warens, celle qu'il appelait « maman », meurt, et le *Contrat social* est publié.

Dès 1750, dans son *Discours sur les sciences et les arts*, Rousseau part en guerre contre la civilisation. Il l'estime corrompue, et soutient que nos progrès sont la cause de nos malheurs. La sagesse serait de retourner à l' « état de nature », qui, seul, permet le bonheur. Rébellion qui fit, aux yeux de certains contemporains, figure de brillant paradoxe, mais dont nous savons qu'elle n'était qu'un cri du cœur, sincère et passionné. D'ailleurs, le *Discours sur l'origine de l'inégalité* (1755) va reprendre et élargir ces mêmes idées. Rousseau étudie l'homme à l'état de nature avant toute société (homme dont les sociologues diraient qu'il n'est qu'une vaine abstraction, la société, en réalité, préexistant à l'individu) et se pose un problème ardu : comment cet homme, qui, dans l'état de nature, était libre et heureux, a-t-il pu vouloir passer à l'état social, antinaturel, qui fait à présent son malheur ? C'est, dit Rousseau, sous la pression des circonstances extérieures. Certains cataclysmes ont pu amener les hommes à s'unir, passagèrement d'abord ; ils se sont ensuite habitués les uns aux autres, et, finalement, ont formé des groupes, d'où tout aussitôt ont émergé des maîtres : les plus forts. Ainsi naquit la société des hommes, avec l'inégalité, et, du même coup, cet amer paradoxe de créatures nées libres et devenues esclaves, qu'exprimera si bien une des premières phrases du *Contrat* (livre Ier, chap. Ier) : « L'homme est né libre, et partout il est dans les fers. »

Ce que l'homme a perdu par ce passage à l'état social est immense : sa liberté, qui était son bien le plus précieux, et, avec elle, la jouissance de tous ses autres biens. Pour retrouver ce paradis perdu, il faudrait soit retourner à l'état de nature (solution préconisée dans le premier *Discours*, mais qui se révèle impossible : nous sommes trop ancrés dans la société, notre « seconde nature »), soit réformer la société de telle manière que l'homme y retrouve sinon ses avantages naturels, à jamais perdus, du moins leur équivalent. Cela est-il possible ? Tel sera le problème du *Contrat*. Rousseau y cherchera les conditions d'une société parfaite, ou plutôt, en se pliant aux « rapports nécessaires » dont parlait Montesquieu, de la meilleure société possible, en prenant « les hommes tels qu'ils sont et les lois telles qu'elles peuvent être » (*Contrat*, Livre Ier) ; car on ne peut guère changer l'homme ; mais peut-être les lois   optimisme raisonnable, comme celui de Leibniz.

Outre ces ouvrages généraux, des écrits consacrés à des questions particulières révèlent encore les mêmes soucis. Dans la *Lettre à d'Alembert sur les spectacles* (1758), Rousseau reproche au théâtre de peindre complaisamment les vices de nos sociétés, cependant qu'il cherche à établir, dans *la Nouvelle Héloïse* (1761) et dans l'*Emile* (1762), certains traits de l'univers idéal dont il rêve. Après les révoltes négatrices, l'effort positif et constructeur, qui aboutira au *Contrat social*, s'y fait jour. La société idyllique et touchante où s'aiment Julie et Saint-Preux, où croît, en force et en sagesse, Émile, anime les principes lapidaires du *Contrat*, concurremment avec les nobles exemples de Rome, que traduira plus tard le peintre David. Toutes ces images sont des allusions à l'objet de sa nostalgie : l'homme des premiers âges, heureux et bon.

L'élaboration du « Contrat social ». — Cette œuvre n'est donc point à détacher des autres ; elle est le fruit d'une longue méditation. En 1756, Rousseau écrit (*Confessions*, II, IX [1756]) : « Des divers ouvrages que j'avais sur le chantier, celui que je méditais depuis longtemps, dont je m'occupais avec le plus de goût, auquel je voulais travailler toute ma vie, et qui devait selon moi mettre le sceau à ma réputation, était mes *Institutions politiques*. Il y avait treize ou quatorze ans que j'en avais conçu la première idée, lorsqu'étant à Venise j'avais eu quelque occasion de remarquer les défauts de ce gouvernement si vanté. »

A l'idée de l'homme naturel et de la société idéale se joint donc, dans l'élaboration du *Contrat*, l'observation concrète des faits, tout comme chez Montesquieu, par exemple. Double origine qui marquera tout l'ouvrage : le *Contrat social* est à la fois théorie et expérience. Toutefois, la partie théorique l'emporte de loin ; nous allons voir pourquoi. En 1761, Rousseau revient à ses *Institutions politiques*, inachevées, et se trouve pris de lassitude, comme jadis Montesquieu, devant l'énormité de l'entreprise. Il lui faudrait y travailler des années encore pour la mener à bien ! Or, il préférerait publier le plus vite possible cet ouvrage, après le succès de *la Nouvelle Héloïse* ; en outre, l'*Emile* est à finir aussi et l'absorbe beaucoup. Il va donc ne publier qu'une partie de ses *Institutions politiques* : « ainsi, renonçant à cet ouvrage, je résolus d'en tirer ce qui pouvait se détacher, et de brûler tout le reste. Et, poussant ce travail avec zèle sans interrompre celui de l'*Emile*, je mis en moins de deux ans la dernière main au *Contrat social* » (*Confessions*, II, X [1759]). Il restera surtout, sous ce nom, la partie idéologique de la politique de Rousseau. La partie concrète manquera, qui aurait souvent pu tempérer — ou au contraire asseoir plus solidement — certaines des affirmations générales de l'auteur. Il faudra toujours, avant de les juger, penser à cette amputation quelque peu imprudente.

Le plan de l'ouvrage. — Il comporte quatre livres.

Livre Iᵉʳ. Du pacte social. — Objet de l'ouvrage : quel est le fondement légitime de toute société politique (chap. Iᵉʳ) ? Ce n'est pas le droit naturel (chap. II); ce n'est pas la force (le « droit du plus fort » est un non-sens) [chap. III] : ce sont des conventions. Mais nulle convention ne peut forcer un homme à être esclave d'un autre (chap. IV). Il y a donc une convention première et non fondée sur la force (chap. V); c'est le pacte social. Analyse (chap. VI).

Ce qu'est alors le souverain : c'est l'ensemble des contractants, et leur volonté générale, c'est le peuple (chap. VII).

Comparaison entre l'état de nature et l'état civil (social). Ce que l'on perd, ce que l'on trouve (chap. VIII).

Comparaison entre les biens naturels et les biens civils (propriété). L'homme retrouve l'équivalent de ce qu'il a perdu (chap. IX).

LIVRE II. LA SOUVERAINETÉ. — La souveraineté est inaliénable : le peuple ne peut s'en dessaisir (chap. Ier). Elle est indivisible : pas de « séparation des pouvoirs » (chap. II). Elle est infaillible, la volonté générale ne peut tendre que vers un seul but : le bien de tous, par définition (chap. III). Où s'arrête-t-elle ? aux droits de l'individu, fixés par le pacte lui-même, c'est-à-dire à la propriété et à la liberté (chap. IV).

Du droit de vie et de mort. Peine de mort dans certains cas, où le crime rompt le pacte social (chap. V). La loi, expression de la volonté générale (chap. VI).

Le législateur : homme « inspiré » qui organise les lois qu'adoptera la volonté générale, en considérant certaines conditions (chap. VII) : *a*) l'âge du peuple (chap. VIII); *b*) l'espace qu'il occupe et sa densité (chap. IX); *c*) son économie (chap. X). Il y a donc divers systèmes de législations (chap. XI) et diverses sortes de lois, selon la « convenance » (chap. XII).

LIVRE III. DU GOUVERNEMENT. — Ce qu'est le gouvernement : c'est la puissance exécutive, jamais la souveraineté (chap. Ier). Il peut avoir diverses formes selon le peuple à gouverner (chap. II). Ces diverses formes sont (chap. III) : la démocratie (chap. IV); l'aristocratie (chap. V); la monarchie (chap. VI); les formes mixtes (chap. VII).

Toute forme n'est pas bonne à tout pays (chap. VIII). On reconnaît un bon gouvernement à la prospérité générale (chap. IX). Tout gouvernement tend à dégénérer en empiétant sur la volonté générale (chap. X). Les États meurent inévitablement (chap. XI). Pour éviter ou freiner cette dégénérescence fatale, il faut de fréquentes réunions du peuple (chap. XII, XIII, XIV). Le peuple ne doit pas se contenter d'être représenté; ce serait absurde (chap. XV). L'institution du gouvernement n'est pas un contrat (car il y a un seul contrat : le contrat qui lie le peuple à lui-même, contrat social). C'est un acte particulier (chap. XVI). Explication de cette difficulté (chap. XVII). Pour éviter les usurpations et les abus, le peuple doit s'assembler souvent et renouveler son choix (chap. XVIII).

LIVRE IV. DU FONCTIONNEMENT D'UNE CITÉ. — Quoi qu'il arrive, la volonté générale est indestructible. Mais encore faut-il bien la connaître (chap. Ier). D'où : les suffrages (chap. II); la façon d'élire les magistrats (chap. III). Exemple : à Rome, les comices (chap. IV); le tribunat, qui sert de frein à tel ou tel pouvoir trop fort (chap. V); en cas d'urgence, la dictature (chap. VI); la censure, jugements nés de l'opinion (chap. VII). La religion civile doit consolider le pacte social et les vertus civiques (chap. VIII).

Portée du « Contrat social ». — Bien qu'il n'ait point inventé les notions du *contrat social*, Rousseau y apporte sa contribution originale, qui est multiple. Nous n'en retiendrons que certains aspects intéressant toute l'œuvre.

I. *Il faut, avant tout, respecter la volonté générale :* « Voici, écrit Rousseau dans une lettre à Mirabeau de 1767, [...] le grand problème en politique, que je compare à la quadrature du cercle, [...] *trouver une forme de gouvernement qui mette la loi au-dessus de l'homme.* » Nous avons vu comment ce problème se rattachait à la personne et à la vie de Rousseau, à son désir de ne plus se soumettre qu'à des obligations justes et librement consenties. Aussi, la volonté générale, notion centrale et sacrée pour lui, sera-t-elle sacrée autant dans son objet que dans son essence. La souveraineté sera inaliénable, indivisible, au-dessus de tout.

II. Il en résulte la *distinction totale du souverain et du gouvernement.* Le premier n'est que volonté générale; le second, volontés particulières, à objets particuliers. Il ne doit en aucun cas usurper la souveraineté, apanage du peuple assemblé. Rousseau indique pour cela de multiples précautions à prendre.

III. *La transmutation de l'homme est la conséquence du contrat social :* par le contrat, l'homme perd entièrement l'état de nature pour devenir citoyen, membre du corps politique. Il est « dénaturé ». Une seconde nature s'offre à lui.

IV. Dans cette seconde nature, il retrouve l'*équivalent* de ce qu'il a perdu : notion très importante, que nous rencontrons, sous différents aspects, dans tout l'ouvrage :

— à l'état libre de nature équivaut, dans l'état social, la liberté fondée sur le contrat, véritable « autonomie de la volonté »;

— à la possession des biens naturels équivaut la propriété des biens nécessaires, garantie par la loi (livre Ier, chap. IX);

— à l'individualité physique équivaut l'individualité morale dans le cadre du contrat (notion de citoyen);

— à l'inégalité naturelle, de fait, équivaut (ou plutôt se substitue avec profit) l'égalité de droit, morale, légitime, de tous devant les lois (livre II, chap. IV);

— à la nature et à ses nécessités se substitue un législateur avisé et bon, presque divin, véritable « Providence » politique (livre II, chap. VII);

— à l'ouvrage de la nature, qui est l'homme, se substitue l'ouvrage de l'art, qui est le corps politique (livre III, chap. XI);

— à la religion naturelle se substitue la religion civile (livre IV, chap. VIII).

Comme un *leitmotiv* revient sans cesse ce thème fondamental de substitution équivalente, voire meilleure.

V. *Le législateur garde un rôle prépondérant* : Rousseau donne ici à un individu une place inattendue, au-dessus même de la volonté générale, ou, du moins, antérieur à elle. Il songe ici sans doute, a-t-on dit, à Calvin. Cette idée, qui paraît contraire à la notion de volonté générale, signale le besoin qu'éprouve Rousseau de confier la loi à une volonté concrète, quoique quasi divine, à un homme réel et responsable. Il en sera de même à propos du gouvernement, de la dictature, etc. Rousseau éprouve le besoin de s'appuyer sur des données concrètes, après une longue suite d'abstractions.

VI. Autre intervention du concret : l'*opportunisme* dont fait preuve l'auteur en ce qui concerne lois et gouvernement. N'importe quel gouvernement ne convient pas à n'importe quel peuple. Il y a là des questions de « convenance » réciproque. Un peuple ne doit pas non plus conserver aveuglément ses anciennes lois, sinon il se sclérose et dépérit. On songe à la « morale close » et à la « morale ouverte » de Bergson dans *les Deux Sources de la morale et de la religion*. Le temps et le « devenir » importent, car les sociétés, comme les hommes, changent, vieillissent et meurent, selon un cycle fatal; idée moderne aussi, que reprendront Nietzsche et Spengler.

VII. L'originalité de Rousseau se marque encore dans la place qu'il accorde à la *moralité personnelle* dans la vie civique. Les mœurs générales ont leur importance, mais aussi la vertu, comme jadis dans l'ancienne Rome, et les passions nobles. Le citoyen doit être « épris des lois ». Il faut savoir rendre les lois attachantes, et la politique doit être moins un devoir que la vie même du citoyen. C'est en ce sens qu'on peut dire, avec Mme de Staël, que Rousseau « a tout enflammé ». La religion civile est, elle aussi, moins une théologie (sinon celle de la volonté générale) que l'éducation des « sentiments de sociabilité ». Ainsi le lyrisme de Rousseau a-t-il gagné jusqu'à ses théories politiques.

VIII. De la personnalité de Rousseau encore, de sa haine des volontés particulières, capricieuses, contingentes, de sa recherche inquiète d'une parfaite nécessité, résulte enfin l'intérêt purement philosophique de son œuvre, en tant qu'elle annonce Kant. Comme le fera plus tard Kant, Rousseau cherche un *principe universel*, *a priori*, nécessaire, d'action et de moralité. Comme Kant aussi,

avec tous les grands philosophes, il se heurte à la difficulté essentielle : l'application des formes *a priori* à la matière empirique,
c'est-à-dire le passage du parfait à l'imparfait; de la volonté générale, universelle comme la « bonne volonté » de Kant, aux cas
particuliers; du droit au fait; de l'intelligible au sensible. Il
éprouve d'ailleurs, ce faisant, un authentique vertige philosophique :
« Comme, dans la constitution de l'homme, l'action de l'âme sur le
corps est l'abîme de la philosophie, de même l'action de la volonté
générale sur la force publique est l'abîme de la politique dans la
constitution de l'État. » (Manuscrit de Genève.)

Comme Kant encore, il cherche à résoudre ce problème quasi
métaphysique non par des notions bâtardes, ou par l'intervention
de quelque « harmonie préétablie », mais par une considération
toute moderne, celle du temps et de l'intentionnalité, comme le
fera le schématisme kantien dans la *Critique de la raison pure*. C'est
ainsi qu'il explique, par exemple, que, en vue de choisir tel ou tel
gouvernement particulier, la volonté générale — différente par
essence de tout acte particulier — subisse « une conversion subite
de la Souveraineté en Démocratie [...] sans aucun changement sensible » (livre III, chap. XVII), sorte de transformation « gestaltiste »
doublée d'une attitude réflexive et intentionnelle qui est fort neuve.

Ainsi la subtile psychologie de Rousseau intervient-elle jusqu'au
plus secret de sa philosophie politique, qu'elle éclaire et anime.
Rousseau ne s'est pas contenté de « faire le point » des résultats
acquis par ses prédécesseurs; il a introduit « le sentiment et la passion politique dans la science politique » (André Siegfried) et,
magnifiant encore la notion de contrat social, la rendant pour ainsi
dire « de droit divin », il a achevé d'en faire, peut-être sans y songer,
une arme redoutable contre les rois. Il a ainsi préparé la Révolution,
et son influence sur les esprits de 1789, 1792, 1793, s'explique
aisément. En outre, par la profondeur de sa pensée, qui est pour
ainsi dire une véritable « psychologie politique », il annonce le
XIXe siècle. Qu'il n'ait point entièrement cru à cet édifice d'idées,
qu'il ait échoué dans ses projets de législation de la Corse, qu'il
ait surtout, par le *Contrat*, forgé un rêve rassurant, dirigé davantage
contre ses propres persécuteurs que contre tout régime défectueux,
n'empêche point son efficacité, ni la noblesse de son entreprise et
de sa révolte.

Sur le piédestal :

A l'Amour de l'ordre et du bien commun

La loi naturelle ou l'empire de la raison.

Vignette ornant en 1781 l'ouvrage de l'abbé Gérard : *les Égarements de la raison.*
Le rapprochement qu'elle illustre est dans la ligne directe du *Contrat social.*

DU CONTRAT SOCIAL

AVERTISSEMENT

Ce petit traité est extrait d'un ouvrage plus étendu, entrepris autrefois sans avoir consulté mes forces, et abandonné depuis longtemps. Des divers morceaux qu'on pouvait tirer de ce qui était fait, celui-ci est le plus considérable, et m'a paru le moins indigne d'être offert au public. Le reste n'est déjà plus[1].

LIVRE PREMIER

Je veux chercher si dans l'ordre civil il peut y avoir quelque règle d'administration[2] légitime et sûre[3] en prenant les hommes tels qu'ils sont[4] et les lois telles qu'elles peuvent être. Je tâcherai d'allier toujours dans cette recherche ce que le droit permet avec ce que l'intérêt prescrit, afin que la justice et l'utilité ne se trouvent point divisées[5].

J'entre en matière sans prouver l'importance de mon sujet. On me demandera si je suis prince ou législateur pour écrire sur la Politique ? Je réponds que non, et que c'est pour cela que j'écris sur la Politique. Si j'étais prince ou législateur, je ne perdrais pas mon temps à dire ce qu'il faut faire ; je le ferais, ou je me tairais.

Né citoyen d'un État libre[6] et membre du souverain[7], quelque faible influence que puisse avoir ma voix dans les affaires publiques, le droit d'y voter suffit pour m'imposer le devoir de m'en instruire. Heureux, toutes les fois que je médite sur les gouvernements, de trouver toujours dans mes recherches de nouvelles raisons d'aimer celui de mon pays !

---

1. Cf. Notice : « L'élaboration du *Contrat social* »; **2.** Au sens général : établissement de l'État et des lois; **3.** *Sûre :* offrant toute garantie aux citoyens, durable; **4.** C'est-à-dire avec leurs passions, et aussi leur raison; **5.** Afin que, malgré l'égoïsme naturel, la vie en société soit possible et équitable; **6.** Genève. La première édition du *Contrat* portait ces mots, sous le titre, « par J.-J. Rousseau, citoyen de Genève »; **7.** Le peuple. Dans une « démocratie », le peuple est le seul souverain, comme l'expliquera par la suite Rousseau.

CHAPITRE PREMIER

SUJET DE CE PREMIER LIVRE

L'homme est né libre, et partout il est dans les fers[1]. Tel se croit le maître des autres, qui ne laisse pas d'être plus esclave qu'eux. Comment ce changement s'est-il fait ? Je l'ignore[2]. Qu'est-ce qui peut le rendre légitime ? Je crois pouvoir résoudre cette question.

Si je ne considérais que la force, et l'effet qui en dérive, je dirais : tant qu'un Peuple est contraint d'obéir et qu'il obéit, il fait bien; sitôt qu'il peut secouer le joug, et qu'il le secoue, il fait encore mieux; car, recouvrant sa liberté par le même droit qui la lui a ravie, ou il est fondé à la reprendre, ou on ne l'était point à la lui ôter[3]. Mais l'ordre social est un droit sacré[4] qui sert de base à tous les autres. Cependant ce droit ne vient point de la nature; il est donc fondé sur des conventions. Il s'agit de savoir quelles sont ces conventions. Avant d'en venir là, je dois établir ce que je viens d'avancer.

CHAPITRE II

DES PREMIÈRES SOCIÉTÉS[5]

La plus ancienne de toutes les sociétés et la seule naturelle est celle de la famille. Encore les enfants ne restent-ils liés au père qu'aussi longtemps qu'ils ont besoin de lui pour se conserver. Sitôt que ce besoin cesse, le lien naturel[6] se dissout. Les enfants, exempts de l'obéissance qu'ils devaient au père, le père, exempt des soins qu'il devait aux enfants, rentrent tous également dans l'indépendance. S'ils continuent de rester unis ce n'est plus naturellement c'est volontairement, et la famille elle-même ne se maintient que par convention.

---

1. Paradoxe célèbre, qui reprend les idées du *Discours sur l'inégalité* et pose en même temps le problème originaire du *Contrat*. La société est « antinaturelle »; peut-elle être bonne ? (V. Notice); **2.** Il en a pourtant parlé dans le *Discours* (v. Notice); **3.** Thème de la rébellion permise (cf. Locke, Spinoza, et certains politiques du XVIe siècle); **4.** Une certaine religiosité s'y attache (comme pour les sociologues, par exemple Durkheim). Voir fin du livre : « La Religion civile »; **5.** Cf. Hobbes et Locke; **6.** *Naturel*. Ici au sens de « droit naturel ». A l'état de nature, il n'y a point de liens. La nécessité seule les crée.

Cette liberté commune est une conséquence de la nature de l'homme. Sa première loi est de veiller à sa propre conservation, ses premiers soins sont ceux qu'il se doit à lui-même, et, sitôt qu'il est en âge de raison, lui seul étant juge des moyens propres à le conserver devient par là son propre maître[1].

La famille est donc si l'on veut le premier modèle des sociétés politiques : le chef est l'image du père, le peuple est l'image des enfants, et tous, étant nés égaux et libres, n'aliènent leur liberté que pour leur utilité. Toute la différence est que dans la famille l'amour du père pour ses enfants le paye des soins qu'il leur rend, et que dans l'État le plaisir de commander supplée à cet amour que le chef n'a pas pour ses peuples[2].

Grotius nie que tout pouvoir humain soit établi en faveur de ceux qui sont gouvernés! Il cite l'esclavage en exemple. Sa plus constante manière de raisonner est d'établir toujours le droit par le fait. On pourrait employer une méthode plus conséquente, mais non plus favorable aux Tyrans.

Il est donc douteux, selon Grotius, si le genre humain appartient à une centaine d'hommes, ou si cette centaine d'hommes appartient au genre humain, et il paraît dans tout son livre pencher pour le premier avis : c'est aussi le sentiment de Hobbes. Ainsi voilà l'espèce humaine divisée en troupeaux de bétail, dont chacun a son chef, qui le garde pour le dévorer[3].

Comme un pâtre est d'une nature supérieure à celle de son troupeau, les pasteurs d'hommes, qui sont leurs chefs, sont aussi d'une nature supérieure à celle de leurs peuples. Ainsi raisonnait, au rapport de Philon[4], l'Empereur Caligula; concluant assez bien de cette analogie que les rois étaient des dieux, ou que les peuples étaient des bêtes.

Le raisonnement de ce Caligula revient à celui de Hobbes et Grotius. Aristote avant eux tous avait dit aussi que les hommes ne sont point naturellement égaux, mais que les uns naissent pour l'esclavage et les autres pour la domination.

Aristote avait raison, mais il prenait l'effet pour la cause.

---

1. Idée de Locke également; 2. Pour les sociologues modernes, au contraire' c'est la famille qui est calquée sur la société; 3. En réalité, il s'agit plutôt d'une tutelle; 4. *Philon* le Juif prête à Caligula des propos où il se compare à un berger, et son peuple à un troupeau, ajoutant qu'il y a donc entre eux une différence de nature et qu'il « tient d'une part plus grande et plus divine ».

Tout homme né dans l'esclavage naît pour l'esclavage, rien n'est plus certain. Les esclaves perdent tout dans leurs fers, jusqu'au désir d'en sortir : ils aiment leur servitude comme les compagnons d'Ulysse aimaient leur abrutissement. S'il y a donc des esclaves par nature, c'est parce qu'il y a eu des esclaves contre nature. La force a fait les premiers esclaves, leur lâcheté les a perpétués[1]. [...]

CHAPITRE III

DU DROIT DU PLUS FORT

Le plus fort n'est jamais assez fort pour être toujours le maître, s'il ne transforme sa force en droit et l'obéissance en devoir. De là le droit du plus fort; droit pris ironiquement en apparence, et réellement établi en principe[2]. Mais ne nous expliquera-t-on jamais ce mot ? La force est une puissance physique; je ne vois point quelle moralité peut résulter de ses effets. Céder à la force est un acte de nécessité, non de volonté; c'est tout au plus un acte de prudence. En quel sens pourra-ce être un devoir ?

Supposons un moment ce prétendu droit. Je dis qu'il n'en résulte qu'un galimatias inexplicable. Car sitôt que c'est la force qui fait le droit, l'effet change avec la cause; toute force qui surmonte la première succède à son droit. Sitôt qu'on peut désobéir impunément on le peut légitimement, et puisque le plus fort a toujours raison, il ne s'agit que de faire en sorte qu'on soit le plus fort. Or qu'est-ce qu'un droit qui périt quand la force cesse ? S'il faut obéir par force on n'a pas besoin d'obéir par devoir, et si l'on n'est plus forcé d'obéir on n'y est plus obligé. On voit donc que ce mot de droit n'ajoute rien à la force; il ne signifie ici rien du tout.

Obéissez aux puissances. Si cela veut dire : Cédez à la force, le précepte est bon, mais superflu, je réponds qu'il ne sera jamais violé. Toute puissance vient de Dieu, je

---

1. A rapprocher de la maxime de Vauvenargues : « La servitude abaisse les hommes jusqu'à s'en faire aimer »; 2. Il semble que la force suffise et n'ait nul besoin du droit (ironie). Pourtant le plus fort cherche, en outre, à « justifier » son acte, d'où l'expression de « droit du plus fort », qui paraît contradictoire. Selon Rousseau, ce droit n'ajoute en réalité rien à la force. Selon Pascal, au contraire : « ... ne pouvant fortifier la justice, on a justifié la force, afin que le juste et le fort fussent ensemble et que la paix fût, qui est le souverain bien » (*Pensées*, X).

l'avoue; mais toute maladie en vient aussi. Est-ce à dire qu'il soit défendu d'appeler le médecin? Qu'un brigand me surprenne au coin d'un bois : non seulement il faut par force donner la bourse, mais, quand je pourrais la soustraire, suis-je en conscience obligé de la donner? Car, enfin, le pistolet qu'il tient est aussi une puissance.

Convenons donc que force ne fait pas droit, et qu'on n'est obligé d'obéir qu'aux puissances légitimes. Ainsi ma question primitive[1] revient toujours.

CHAPITRE IV

DE L'ESCLAVAGE

Puisqu'aucun homme n'a une autorité naturelle sur son semblable, et puisque la force ne produit aucun droit, restent donc les conventions pour base de toute autorité légitime parmi les hommes.

Si un particulier, dit Grotius, peut aliéner sa liberté et se rendre esclave d'un maître, pourquoi tout un peuple ne pourrait-il pas aliéner la sienne et se rendre sujet d'un roi? Il y a là bien des mots équivoques qui auraient besoin d'explication, mais tenons-nous-en à celui d'*aliéner*. Aliéner c'est donner ou vendre. Or si un homme qui se fait esclave d'un autre ne se donne pas, il se vend tout au moins pour sa subsistance : mais un peuple, pourquoi se vend-il? Bien loin qu'un roi fournisse à ses sujets leur subsistance[2], il ne tire la sienne que d'eux, et selon Rabelais un roi ne vit pas de peu. Les sujets donnent donc leur personne à condition qu'on prendra aussi leur bien? Je ne vois pas ce qu'il leur reste à conserver.

On dira que le despote assure à ses sujets la tranquillité civile. Soit : mais qu'y gagnent-ils, si les guerres que son ambition leur attire, si son insatiable avidité, si les vexations de son ministère les désolent[3] plus que ne feraient leurs dissensions? Qu'y gagnent-ils, si cette tranquillité même est une de leurs misères? On vit tranquille aussi dans les cachots; en est-ce assez pour s'y trouver bien? Les Grecs enfermés

---

1. A savoir : qu'est-ce qui peut rendre légitime le passage de l'état de nature (libre) à l'état social (contrainte)? 2. Il en est pourtant ainsi entre suzerain et vassal; 3. Sens fort : dépouillent.

dans l'antre du Cyclope y vivaient tranquilles, en attendant que leur tour vînt d'être dévorés.

Dire qu'un homme se donne gratuitement, c'est dire une chose absurde et inconcevable; un tel acte est illégitime et nul, par cela seul que celui qui le fait n'est pas dans son bon sens. Dire la même chose de tout un peuple, c'est supposer un peuple de fous; la folie ne fait pas droit.

Quand chacun pourrait s'aliéner lui-même, il ne peut aliéner ses enfants; ils naissent hommes et libres; leur liberté leur appartient, nul n'a le droit d'en disposer qu'eux. Avant qu'ils soient en âge de raison, le père peut en leur nom stipuler des conditions pour leur conservation, pour leur bien-être; mais non les donner irrévocablement et sans condition; car un tel don est contraire aux fins de la nature, et passe les droits de la paternité[1]. Il faudrait donc, pour qu'un gouvernement arbitraire fût légitime, qu'à chaque génération le peuple fût le maître de l'admettre ou de le rejeter : mais alors ce gouvernement ne serait plus arbitraire.

Renoncer à sa liberté c'est renoncer à sa qualité d'homme, aux droits de l'humanité, même à ses devoirs. Il n'y a nul dédommagement possible pour quiconque renonce à tout. Une telle renonciation est incompatible avec la nature de l'homme; et c'est ôter toute moralité à ses actions que d'ôter toute liberté à sa volonté[2]. Enfin, c'est une convention vaine et contradictoire de stipuler d'une part une autorité absolue et de l'autre une obéissance sans bornes. N'est-il pas clair qu'on est[3] engagé à rien envers celui dont on a droit de tout exiger, et cette seule condition, sans équivalent, sans échange, n'entraîne-t-elle pas la nullité de l'acte? Car, quel droit mon esclave aurait-il contre moi, puisque tout ce qu'il a m'appartient et que, son droit étant le mien, ce droit de moi contre moi-même est un mot qui n'a aucun sens[4]?

Grotius et les autres tirent de la guerre une autre origine

---

1. L'homme naît libre. Son père même n'a pas le droit de lui ôter *(aliéner)* sa liberté, qui est son bien naturel, propre et sacré. Il doit, au contraire, l'aider à exister. Conception très « individualiste » de la famille, qui prétend affranchir l'enfant de la contrainte sociale avant qu'il soit en âge de choisir pour ou contre la société et son pacte; 2. Idée qui sera aussi celle de Kant. La moralité exige la liberté, l'autonomie de la volonté. C'est un des postulats de la *Critique de la raison pratique*. Cf. aussi l'*Emile :* « Elle [la Providence] l'a [l'homme] fait libre afin qu'il fît, non le mal, mais le bien par choix » (Profession de foi du vicaire savoyard); 3. Nous écririons : « qu'on *n'est* engagé à rien »; 4. Chez Hobbes, il en est ainsi : le contrat n'engage que les sujets envers le souverain; le souverain lui-même ne s'engage à rien. Il est seul libre, et absolu.

du prétendu droit d'esclavage[1]. Le vainqueur ayant, selon eux, le droit de tuer le vaincu, celui-ci peut racheter sa vie aux dépens de sa liberté; convention d'autant plus légitime qu'elle tourne au profit de tous deux.

Mais il est clair que ce prétendu droit de tuer les vaincus ne résulte en aucune manière de l'état de guerre. Par cela seul que les hommes vivant dans leur primitive indépendance n'ont point entre eux de rapport assez constant pour constituer ni l'état de paix ni l'état de guerre, ils ne sont point naturellement ennemis. C'est le rapport des choses et non des hommes qui constitue la guerre, et l'état de guerre ne pouvant naître des simples relations personnelles, mais seulement des relations réelles[2], la guerre privée ou d'homme à homme ne peut exister ni dans l'état de nature où il n'y a point de propriété constante, ni dans l'état social où tout est sous l'autorité des lois.

[...] La guerre n'est donc point une relation d'homme à homme, mais une relation d'État à État, dans laquelle les particuliers ne sont ennemis qu'accidentellement, non point comme hommes ni même comme citoyens, mais comme soldats[3]; non point comme membres de la patrie, mais comme ses défenseurs. Enfin, chaque État ne peut avoir pour ennemis que d'autres États et non pas des hommes, attendu qu'entre choses de diverses natures on ne peut fixer aucun vrai rapport[4].

Ce principe est même conforme aux maximes établies de tous les temps et à la pratique constante de tous les peuples policés. Les déclarations de guerre sont moins des avertissements aux puissances qu'à leurs sujets. L'étranger, soit roi, soit particulier, soit peuple, qui vole, tue ou détient les sujets sans déclarer la guerre au prince, n'est pas un ennemi, c'est un brigand. Même en pleine guerre un prince juste s'empare bien en pays ennemi de tout ce qui appartient au public[5], mais il respecte la personne et les biens des particuliers; il respecte des droits sur lesquels sont fondés

---

1. Ici commence la 2ᵉ partie de ce chapitre IV. L'esclavage ne résulte pas d'une convention normale et libre; résulte-t-il de la guerre ? **2.** Qui concernent les choses, les biens; **3.** « Les Romains [...] portaient si loin le scrupule à cet égard qu'il n'était pas permis à un citoyen de servir comme volontaire sans s'être engagé expressément contre l'ennemi, et nommément contre tel ennemi [...] » (note de Rousseau); **4.** Idée discutable. Il existe des litiges entre particuliers et État, et des tribunaux spéciaux pour les trancher (Conseil d'État, par exemple); **5.** C'est-à-dire à l'État ennemi.

les siens[1]. La fin de la guerre étant la destruction de l'État ennemi, on a le droit d'en tuer les défenseurs tant qu'ils ont les armes à la main; mais sitôt qu'ils les posent et se rendent, cessant d'être ennemis ou instruments de l'ennemi, ils redeviennent simplement hommes et l'on n'a plus de droit sur leur vie. Quelquefois on peut tuer l'État sans tuer un seul de ses membres[2]. Or, la guerre ne donne aucun droit qui ne soit nécessaire à sa fin[3]. Ces principes ne sont pas ceux de Grotius; ils ne sont pas fondés sur des autorités de poètes, mais ils dérivent de la nature des choses, et sont fondés sur la raison.

A l'égard du droit de conquête[4], il n'a d'autre fondement que la loi du plus fort. Si la guerre ne donne point au vainqueur le droit de massacrer les peuples vaincus, ce droit qu'il n'a pas ne peut fonder celui de les asservir. On n'a le droit de tuer l'ennemi que quand on ne peut le faire esclave; le droit de le faire esclave ne vient donc pas du droit de le tuer. C'est donc un échange inique[5] de lui faire acheter au prix de sa liberté sa vie sur laquelle on n'a aucun droit. En établissant le droit de vie et de mort sur le droit d'esclavage, et le droit d'esclavage sur le droit de vie et de mort, n'est-il pas clair qu'on tombe dans le cercle vicieux?

En supposant même ce terrible droit de tout tuer, je dis qu'un esclave fait à la guerre ou un peuple conquis n'est tenu à rien du tout envers son maître, qu'à lui obéir autant qu'il y est forcé. En prenant un équivalent à sa vie, le vainqueur ne lui en a point fait grâce : au lieu de le tuer sans fruit, il l'a tué utilement. Loin donc qu'il ait acquis sur lui nulle autorité jointe à la force, l'état de guerre subsiste entre eux comme auparavant, leur relation même en est l'effet, et l'usage du droit de la guerre ne suppose aucun traité de paix. Ils ont fait une convention; soit, mais cette convention, loin de détruire l'état de guerre, en suppose la continuité[6].

Ainsi, de quelque sens qu'on envisage les choses, le droit d'esclavage est nul, non seulement parce qu'il est illégitime,

---

1. Le prince est issu lui-même d'un pacte social à l'intérieur de sa patrie. Les droits des particuliers y sont inviolables et sacrés, venant de la nature; 2. En cas d'annexions, ou de rupture du pacte social, comme on le verra par la suite; 3. Idée voisine de celles de Montesquieu *(l'Esprit des lois)* : « Il est clair que, lorsque la conquête est faite, le conquérant n'a plus le droit de tuer. »; 4. Rousseau pense à Montesquieu; 5. *Inique.* Sens étymologique : inégal; 6. Idée intéressante et féconde en ce qui concernera le *jus gentium*, que l'on traduit par « droit international ».

mais parce qu'il est absurde et ne signifie rien. Ces mots, *esclavage*, et *droit*, sont contradictoires ; ils s'excluent mutuellement. Soit d'un homme à un homme, soit d'un homme à un peuple, ce discours sera toujours également insensé : *Je fais avec toi une convention toute à ta charge et toute à mon profit, que j'observerai tant qu'il me plaira, et que tu observeras tant qu'il me plaira*[1].

CHAPITRE V

QU'IL FAUT TOUJOURS REMONTER À UNE PREMIÈRE CONVENTION

Quand j'accorderais tout ce que j'ai réfuté jusqu'ici, les fauteurs du despotisme n'en seraient pas plus avancés. Il y aura toujours une grande différence entre soumettre une multitude et régir une société. Que des hommes épars soient successivement asservis à un seul, en quelque nombre qu'ils puissent être, je ne vois là qu'un maître et des esclaves, je n'y vois point un peuple et son chef : c'est si l'on veut une agrégation, mais non pas une association[2], il n'y a là ni bien public ni corps politique. Cet homme, eût-il asservi la moitié du monde, n'est toujours qu'un particulier ; son intérêt, séparé de celui des autres, n'est toujours qu'un intérêt privé[3]. Si ce même homme vient à périr, son empire après lui reste épars et sans liaison, comme un chêne se dissout et tombe en un tas de cendres, après que le feu l'a consumé.

Un peuple, dit Grotius, peut se donner à un roi. Selon Grotius un peuple est donc un peuple avant de se donner à un roi. Ce don même est un acte civil, il suppose une délibération publique. Avant donc que d'examiner l'acte par lequel un peuple élit un roi, il serait bon d'examiner

---

1. *Insensé*, car non-universalisable, comme le dira plus tard Kant : « Une maxime juste doit être universalisable, réciproque entre tous les hommes. Elle doit, en outre [*ce qui n'est pas le cas ici*], respecter la personne humaine et son autonomie, comme « fin » et non comme « moyen ». — Tout ce chapitre est d'une grande élévation de pensée juridique et morale ; 2. Noter le parallélisme entre : multitude - société ; maître - chef ; esclaves - peuple ; agrégation - association. Ces distinctions étaient d'ailleurs posées depuis fort longtemps... et discutées violemment par les « fauteurs du despotisme » ; 3. Question ardue : le passage du privé au public. Elle occupera tout le *Contrat social* (problème de la souveraineté et du gouvernement). Cette « séparation » irrévocable du despote évoque l'idée platonicienne du tyran toujours seul et sans compagnons véritables (Platon, *République*). Chez Platon, cette solitude est décrite psychologiquement ; ici logiquement, presque mathématiquement.

l'acte par lequel un peuple est un peuple. Car cet acte étant nécessairement antérieur[1] à l'autre est le vrai fondement de la société.

En effet, s'il n'y avait point de convention antérieure, où serait, à moins que l'élection ne fût unanime, l'obligation pour le petit nombre de se soumettre au choix du grand, et d'où cent qui veulent un maître ont-ils le droit de voter pour dix qui n'en veulent point? La loi de la pluralité des suffrages est elle-même un établissement[2] de convention, et suppose au moins une fois l'unanimité[3].

CHAPITRE VI

DU PACTE SOCIAL

Je suppose les hommes parvenus à ce point où les obstacles qui nuisent à leur conservation dans l'état de nature l'emportent par leur résistance sur les forces que chaque individu peut employer pour se maintenir dans cet état. Alors cet état primitif ne peut plus subsister, et le genre humain périrait s'il ne changeait sa manière d'être.

Or, comme les hommes ne peuvent engendrer de nouvelles forces, mais seulement unir et diriger celles qui existent, ils n'ont plus d'autre moyen, pour se conserver, que de former par agrégation[4] une somme de forces qui puisse l'emporter sur la résistance, de les mettre en jeu par un seul mobile et de les faire agir de concert.

Cette somme de forces ne peut naître que du concours de plusieurs; mais la force et la liberté de chaque homme étant les premiers instruments de sa conservation, comment les engagera-t-il sans se nuire, et sans négliger les soins qu'il se doit? Cette difficulté ramenée à mon sujet peut s'énoncer en ces termes :

« Trouver une forme d'association qui défende et protège de toute la force commune la personne et les biens de chaque associé, et par laquelle chacun s'unissant à tous n'obéisse

---

1. Idée propre à Rousseau. La réalité sembla parfois la démentir : chez Machiavel (le Prince), on voit tel condottiere recruter ses hommes, puis s'établir en société autonome et les régir; 2. Etablissement : institution; 3. Après quoi le suffrage sera fondé sur la majorité seulement (voir plus loin comment Rousseau la justifiera); 4. Cf. au chapitre précédent la distinction entre « agrégation » (simple juxtaposition) et « association » (pacte). Pour les sociologues, l'association préexiste aux individus isolés.

pourtant qu'à lui-même et reste aussi libre qu'auparavant. »
Tel est le problème fondamental dont le contrat social donne
la solution.

Les clauses de ce contrat sont tellement déterminées par
la nature de l'acte[1] que la moindre modification les rendrait
vaines et de nul effet; en sorte que, bien qu'elles n'aient
peut-être jamais été formellement énoncées, elles sont
partout les mêmes, partout tacitement admises et reconnues; jusqu'à ce que, le pacte social étant violé, chacun
rentre alors dans ses premiers droits et reprenne sa liberté
naturelle, en perdant la liberté conventionnelle[2] pour laquelle
il y renonça.

Ces clauses bien entendues se réduisent toutes à une
seule, savoir l'aliénation totale de chaque associé avec tous
ses droits[3] à toute la communauté. Car, premièrement,
chacun se donnant tout entier, la condition est égale pour
tous, et la condition étant égale[4] pour tous, nul n'a intérêt de
la rendre onéreuse aux autres[4].

De plus, l'aliénation se faisant sans réserve, l'union est
aussi parfaite qu'elle peut l'être et nul associé n'a plus
rien à réclamer. Car s'il restait quelques droits aux particuliers, comme il n'y aurait aucun supérieur commun qui pût
prononcer entre eux et le public, chacun étant en quelque
point son propre juge prétendrait bientôt l'être en tous,
l'état de nature subsisterait, et l'association deviendrait
nécessairement tyrannique ou vaine[5].

Enfin chacun se donnant à tous ne se donne à personne[6],
et comme il n'y a pas un associé sur lequel on n'acquière
le même droit qu'on lui cède sur soi, on gagne l'équivalent[7]
de tout ce qu'on perd, et plus de force pour conserver ce
qu'on a[8].

Si donc on écarte du pacte social ce qui n'est pas de son
essence, on trouvera qu'il se réduit aux termes suivants.
Chacun de nous met en commun sa personne et toute sa puis-

---

1. Comme chez Kant : l'acte bon est déterminé rationnellement, *a priori*,
une fois pour toutes; 2. Au sens propre : issue de la convention dont il est
parlé plus haut; 3. Sans exception. Chez Spinoza, par exemple, l'homme
conserve la liberté de penser (cf. Notice); 4. Égalité et liberté se tiennent. Si
la première n'existait pas, certains opprimeraient les autres; mais chacun a reçu
tout ce dont il a besoin; nul n'a donc intérêt à opprimer autrui; 5. Contre
Hobbes. Si le souverain, seul libre, agit sans appel, en despote absolu, il abu-
sera nécessairement. Le pacte sera alors « tyrannique et vain »; 6. Le pacte
crée une contrainte « impersonnelle », sans vexations ni caprices : la volonté
générale (cf. Notice); 7. Notion très importante (cf. Notice); 8. Car nos biens
sont garantis par toute la collectivité.

sance sous la suprême direction de la volonté générale[1]*, et nous recevons en corps chaque membre comme partie indivisible du tout*[2].

A l'instant, au lieu de la personne particulière de chaque contractant, cet acte d'association produit un corps moral et collectif composé d'autant de membres que l'assemblée a de voix, lequel reçoit de ce même acte son unité, son *moi* commun, sa vie et sa volonté. Cette personne publique qui se forme ainsi par l'union de toutes les autres prenait autrefois le nom de *Cité*[3], et prend maintenant celui de *République* ou de *corps politique*, lequel est appelé par ses membres *État* quand il est passif, *Souverain* quand il est actif, *Puissance* en le comparant à ses semblables[4]. A l'égard des associés ils prennent collectivement le nom de *peuple*[5], et s'appellent en particulier *Citoyens* comme participants à l'autorité souveraine, et *Sujets* comme soumis aux lois de l'État. Mais ces termes se confondent souvent et se prennent l'un pour l'autre; il suffit de les savoir distinguer quand ils sont employés dans toute leur précision.

CHAPITRE VII

DU SOUVERAIN

On voit par cette formule que l'acte d'association renferme un engagement réciproque du public[6] avec les particuliers, et que chaque individu, contractant, pour ainsi dire, avec lui-même·, se trouve engagé sous un double rapport : savoir, comme membre du Souverain envers les particuliers, et comme membre de l'État envers le Souverain. Mais on ne peut appliquer ici la maxime du droit

---

1. C'est l'aliénation même de notre volonté particulière qui va créer cette *volonté générale* dont nous devenons membres et participants; 2. *En corps :* en tant que nous formons le corps social; *comme partie indivisible :* chaque membre est lié désormais au corps social que nous sommes avec lui; 3. « Le vrai sens de ce mot s'est presque entièrement effacé chez les modernes [...] Les maisons font la ville, mais les citoyens font la cité. » (note de Rousseau); 4. *Passif :* quand il obéit aux lois; *actif :* quand il les fait; *puissance :* dans le droit international. Le souverain est donc, chez Rousseau, l'ensemble du peuple. C'est pourquoi il s'intitulait lui-même : « citoyen d'un État libre, et membre du souverain »; 5. En tant que souverain, doué de la volonté générale, qui *diffère par sa nature* de toute volonté particulière. Il y a bien, comme le dit M. Halbwachs, « création d'un ordre entièrement nouveau par le contrat »; 6. *Le public :* le peuple souverain; 7. Expliqué par la fin de la phrase « savoir...». Il y a bien deux contractants, mais leur volonté (la volonté générale) est une et indivisible. C'est elle comme souverain qui contracte avec elle comme citoyen.

civil que nul n'est tenu aux engagements pris avec lui-même ; car il y a bien de la différence entre s'obliger envers soi, ou envers un tout dont on fait partie.

Il faut remarquer encore que la délibération publique, qui peut obliger tous les sujets envers le Souverain, à cause des deux différents rapports sous lesquels chacun d'eux est envisagé, ne peut, par la raison contraire, obliger le Souverain envers lui-même, et que, par conséquent, il est contre la nature du corps politique que le Souverain s'impose une loi qu'il ne puisse enfreindre. Ne pouvant se considérer que sous un seul et même rapport, il est alors dans le cas d'un particulier contractant avec soi-même, par où l'on voit qu'il n'y a ni ne peut y avoir nulle espèce de loi fondamentale obligatoire pour le corps du peuple, pas même le contrat social. Ce qui ne signifie pas que ce corps ne puisse fort bien s'engager envers autrui en ce qui ne déroge point à ce contrat ; car, à l'égard de l'étranger, il devient un être simple, un individu[1].

Mais le corps politique ou le Souverain ne tirant son être que de la sainteté[2] du contrat ne peut jamais s'obliger, même envers autrui, à rien qui déroge à cet acte primitif, comme d'aliéner quelque portion de lui-même ou de se soumettre à un autre Souverain. Violer l'acte par lequel il existe serait s'anéantir, et ce qui n'est rien ne produit rien.

Sitôt que cette multitude est ainsi réunie en un corps, on ne peut offenser un des membres sans attaquer le corps ; encore moins offenser le corps sans que les membres s'en ressentent. Ainsi le devoir et l'intérêt obligent également les deux parties contractantes à s'entre-aider mutuellement[3], et les mêmes hommes doivent chercher à réunir sous ce double rapport[4] tous les avantages qui en dépendent.

Or, le Souverain n'étant formé que des particuliers qui le composent n'a ni ne peut avoir d'intérêt contraire au leur ; par conséquent la puissance Souveraine n'a nul besoin de garant envers les sujets, parce qu'il est impossible que le corps veuille nuire à tous ses membres[5] ; et nous verrons ci-après[6] qu'il ne peut nuire à aucun en particulier. Le

---

1. Rien n'oblige au contrat social, il est antérieur à toute autre loi. Il reste propre à telle société particulière et ne vaut pas entre sociétés diverses ; 2. Note religieuse. Le pacte social crée un « grand être » social supérieur à tous ; 3. Léger pléonasme ; 4. Du devoir, et de l'intérêt ; 5. On pense à la fable célèbre de Menenius Agrippa sur la solidarité des membres et de l'estomac ; 6. Au chapitre IV du livre II.

Souverain, par cela seul qu'il est, est toujours tout ce qu'il doit être[1].

Mais il n'en est pas ainsi des sujets envers le Souverain, auquel malgré l'intérêt commun rien ne répondrait de leurs engagements s'il ne trouvait des moyens de s'assurer de leur fidélité[2].

En effet, chaque individu peut comme homme avoir une volonté particulière contraire ou dissemblable à la volonté générale qu'il a comme Citoyen. Son intérêt particulier peut lui parler tout autrement que l'intérêt commun; son existence absolue[3] et naturellement indépendante peut lui faire envisager ce qu'il doit à la cause commune comme une contribution gratuite, dont la perte sera moins nuisible aux autres que le payement n'en est onéreux pour lui, et regardant la personne morale qui constitue l'Etat comme un être de raison[4] parce que ce n'est pas un homme[5], il jouirait des droits du citoyen sans vouloir remplir les devoirs du sujet[6], injustice dont le progrès causerait la ruine du corps politique.

Afin donc que le pacte social ne soit pas un vain formulaire, il renferme tacitement cet engagement qui seul peut donner de la force aux autres, que quiconque refusera d'obéir à la volonté générale y sera contraint par tout le corps : ce qui ne signifie autre chose sinon qu'on le forcera à être libre[7], car telle est la condition qui donnant chaque Citoyen à la Patrie le garantit de toute dépendance personnelle; condition qui fait l'artifice et le jeu de la machine politique, et qui seule rend légitimes les engagements civils, lesquels sans cela seraient absurdes, tyranniques, et sujets aux plus énormes abus[8].

CHAPITRE VIII

DE L'ÉTAT CIVIL[9]

Ce passage de l'état de nature à l'état civil produit dans l'homme un changement très remarquable, en substituant

---

1. Idée de perfection mathématique et quasi divine (un peu comme l'Être de Parménide et de Spinoza); 2. Car l'homme a conservé de l'état de nature ses passions; 3. Sens propre : séparée, individuelle; 4. Alors que c'est un être « réel »; 5. Critique des préjugés « anthropomorphistes »; 6. *Citoyen* : qui fait les lois, actif; *sujet* : qui obéit aux lois, passif; 7. Cette phrase a soulevé bien des protestations! Rousseau a été accusé de favoriser le despotisme sous couvert de liberté. Mais il s'agit en réalité de la défense du droit et de la cité contre les crimes éventuels (cf. Jugements); 8. Ce serait le règne de la force; 9. Au sens de « état social ».

dans sa conduite la justice à l'instinct, et donnant à ses actions la moralité[1] qui leur manquait auparavant. C'est alors seulement que la voix du devoir succédant à l'impulsion physique et le droit à l'appétit, l'homme, qui jusque-là n'avait regardé que lui-même, se voit forcé d'agir sur d'autres principes, et de consulter sa raison avant d'écouter ses penchants. Quoiqu'il se prive dans cet état de plusieurs avantages qu'il tient de la nature, il en regagne de si grands, ses facultés s'exercent et se développent, ses idées s'étendent, ses sentiments s'ennoblissent, son âme toute entière s'élève à tel point, que si les abus de cette nouvelle condition ne le dégradaient souvent au-dessous de celle dont il est sorti, il devrait bénir sans cesse l'instant heureux qui l'en arracha pour jamais, et qui, d'un animal stupide et borné, fit un être intelligent et un homme[2].

Réduisons toute cette balance[3] à des termes faciles à comparer. Ce que l'homme perd par le contrat social, c'est sa liberté naturelle et un droit illimité à tout ce qui le tente et qu'il peut atteindre; ce qu'il gagne, c'est la liberté civile[4] et la propriété de tout ce qu'il possède. Pour ne pas se tromper dans ces compensations, il faut bien distinguer la liberté naturelle qui n'a pour bornes que les forces de l'individu, de la liberté civile qui est limitée par la volonté générale, et la possession qui n'est que l'effet de la force ou le droit du premier occupant, de la propriété qui ne peut être fondée que sur un titre positif[5].

On pourrait sur ce qui précède ajouter à l'acquis de l'état civil la liberté morale, qui seule rend l'homme vraiment maître de lui; car l'impulsion du seul appétit est esclavage, et l'obéissance à la loi qu'on s'est prescrite est liberté[6]. Mais je n'en ai déjà que trop dit sur cet article, et le sens philosophique du mot *liberté* n'est pas ici de mon sujet.

---

1. A l'état « de nature », l'homme est innocent, juste, d'une vertu négative, par ignorance du mal. A l'état « civil », il est juste par obligation voulue, d'une vertu positive et plus méritoire : c'est la *moralité* ; comme chez Kant, il agit « par devoir »; **2.** Très beau passage. Il n'est d'ailleurs nullement en désaccord avec les idées antérieures de Rousseau : l'état de nature est meilleur que les sociétés injustes (cf. *les Discours*), mais moins bon que les sociétés justes; **3.** Ce parallèle; **4.** C'est-à-dire : garantie par la collectivité, par la loi, et délimitée par elle; **5.** Réel, garanti par la collectivité; **6.** Cf. Kant. L'autonomie de la volonté nous élève au-dessus des mobiles, des passions.

CHAPITRE IX

DU DOMAINE RÉEL[1]

Chaque membre de la communauté se donne à elle au moment qu'elle se forme, tel qu'il se trouve actuellement, lui et toutes ses forces, dont les biens qu'il possède[2] font partie. Ce n'est pas que par cet acte la possession change de nature en changeant de mains, et devienne propriété dans celles du Souverain; mais comme les forces de la Cité sont incomparablement plus grandes que celles d'un particulier, la possession publique est aussi dans le fait plus forte et plus irrévocable, sans être plus légitime, au moins pour les étrangers[3]. Car l'État à l'égard de ses membres est maître de tous leurs biens par le contrat social, qui dans l'État sert de base à tous les droits; mais il ne l'est à l'égard des autres puissances que par le droit de premier occupant qu'il tient des particuliers[4].

Le droit de premier occupant, quoique plus réel que celui du plus fort, ne devient un vrai droit qu'après l'établissement de celui de propriété[5]. Tout homme a naturellement droit à tout ce qui lui est nécessaire; mais l'acte positif qui le rend propriétaire de quelque bien l'exclut de tout le reste. Sa part étant faite, il doit s'y borner, et n'a plus aucun droit à la communauté. Voilà pourquoi le droit de premier occupant, si faible dans l'état de nature, est respectable à tout homme civil. On respecte moins dans ce droit ce qui est à autrui que ce qui n'est pas à soi[6].

En général, pour autoriser sur un terrain quelconque le droit de premier occupant, il faut les conditions suivantes. Premièrement que ce terrain ne soit encore habité par personne; secondement qu'on n'en occupe que la quantité dont on a besoin pour subsister; en troisième lieu, qu'on en prenne possession, non par une vaine cérémonie[7], mais par le travail et la culture, seul signe de propriété qui à défaut de titres juridiques doive être respecté d'autrui[8].

---

1. *Domaine* : bien, propriété; *réel* : qui concerne les biens et non les personnes; 2. Qu'il possède, par nature, « en fait » et non « en droit »; 3. Cette garantie collective la rend légitime, à l'intérieur de la société, et après répartition; c'est alors un « droit » : le droit de propriété; 4. Entre les États règne l'état de nature, et non le contrat; 5. Voir note 3; 6. On se limite non par crainte..., mais par respect de la loi; 7. Sera expliqué par le long passage qui suit; 8. Cf. Locke et Grotius.

En effet, accorder au besoin et au travail le droit de premier occupant, n'est-ce pas l'étendre aussi loin qu'il peut aller ? Peut-on ne pas donner des bornes à ce droit ? Suffira-t-il de mettre le pied sur un terrain commun pour s'en prétendre aussitôt le maître ? Suffira-t-il d'avoir la force d'en écarter un moment les autres hommes pour leur ôter le droit d'y jamais revenir ? Comment un homme ou un peuple peut-il s'emparer d'un territoire immense et en priver tout le genre humain autrement que par une usurpation punissable[1], puisqu'elle ôte au reste des hommes le séjour et les aliments que la nature leur donne en commun ? Quand Nuñez Balbao[2] prenait sur le rivage possession de la mer du Sud et de toute l'Amérique méridionale au nom de la couronne de Castille, était-ce assez pour en déposséder tous les habitants et en exclure tous les Princes du monde ? Sur ce pied-là, ces cérémonies se multipliaient assez vainement, et le Roi Catholique n'avait tout d'un coup qu'à prendre de son cabinet possession de tout l'univers ; sauf à retrancher ensuite de son empire ce qui était auparavant possédé par les autres Princes.

On conçoit comment les terres des particuliers réunies et contiguës deviennent le territoire public, et comment le droit de souveraineté s'étendant des sujets au terrain qu'ils occupent devient à la fois réel et personnel[3], ce qui met les possesseurs dans une plus grande dépendance, et fait de leurs forces[4] mêmes les garants de leur fidélité. Avantage qui ne paraît pas avoir été bien senti des anciens monarques, qui, ne s'appelant que Rois des Perses, des Scythes, des Macédoniens, semblaient se regarder comme les chefs des hommes plutôt que comme les maîtres du pays. Ceux d'aujourd'hui s'appellent plus habilement Roi de France, d'Espagne, d'Angleterre, etc. En tenant ainsi le terrain, ils sont bien sûrs d'en tenir les habitants.

Ce qu'il y a de singulier dans cette aliénation, c'est que, loin qu'en acceptant les biens des particuliers la communauté les en dépouille, elle ne fait que leur en assurer la légitime possession, changer l'usurpation en un véritable droit, et la jouissance en propriété. Alors les possesseurs

---

1. L'est-elle en fait ? Là est la question des sanctions internationales ; 2. *Balbao* (ou *Balboa*) : conquérant espagnol qui vécut après Colomb et avant Cortès. Il découvrit, vers 1510, du haut des monts de l'isthme de Panama, l'océan Pacifique, et en prit possession « avec tout ce qu'il contenait » au nom du roi Ferdinand le Catholique ; 3. Cf. p. 34, note 1 ; 4. Biens, au sens général.

étant considérés comme dépositaires du bien public, leurs droits étant respectés de tous les membres de l'État et maintenus de toutes ses forces contre l'étranger, par une cession avantageuse au public et plus encore à eux-mêmes[1], ils ont, pour ainsi dire, acquis tout ce qu'ils ont donné. Paradoxe qui s'explique aisément par la distinction des droits que le Souverain et le propriétaire ont sur le même fonds, comme on verra ci-après[2].

Il peut arriver aussi que les hommes commencent à s'unir avant que de rien posséder, et que, s'emparant ensuite d'un terrain suffisant pour tous, ils en jouissent en commun, ou qu'ils le partagent entre eux, soit également, soit selon des proportions établies par le Souverain. De quelque manière que se fasse cette acquisition, le droit que chaque particulier a sur son propre fonds est toujours subordonné au droit que la communauté a sur tous, sans quoi il n'y aurait ni solidité dans le lien social, ni force réelle[3] dans l'exercice de la Souveraineté.

Je terminerai ce chapitre et ce livre par une remarque qui doit servir de base à tout le système social; c'est qu'au lieu de détruire l'égalité naturelle, le pacte fondamental substitue au contraire une égalité morale et légitime à ce que la nature avait pu mettre d'inégalité physique entre les hommes, et que, pouvant être inégaux en force ou en génie, ils deviennent tous égaux par convention et de droit[4].

LIVRE II

CHAPITRE PREMIER

QUE LA SOUVERAINETÉ EST INALIÉNABLE

La première et la plus importante conséquence des principes ci-devant établis est que la volonté générale peut seule diriger les forces de l'État selon la fin de son institution,

---

1. Puisqu'ils ont regagné des biens *garantis par tous* ; **2.** Livre II, chap. IV; **3.** Cf. plus haut. En tenant le terrain, elle tient les hommes; **4.** « Sous les mauvais gouvernements cette égalité n'est qu'apparente et illusoire; elle ne sert qu'à maintenir le pauvre dans sa misère, et le riche dans son usurpation... » (note de Rousseau).

qui est le bien commun ; car si l'opposition des intérêts
particuliers a rendu nécessaire l'établissement des sociétés,
c'est l'accord de ces mêmes intérêts qui l'a rendu possible.
C'est ce qu'il y a de commun[1] dans ces différents intérêts
qui forme le lien social, et s'il n'y avait pas quelque point
dans lequel tous les intérêts s'accordent, nulle société ne
saurait exister. Or, c'est uniquement sur cet intérêt commun
que la société doit être gouvernée.

Je dis donc que la souveraineté n'étant que l'exercice
de la volonté générale ne peut jamais s'aliéner[2] et que le
Souverain, qui n'est qu'un être collectif, ne peut être
représenté que par lui-même : le pouvoir peut bien se
transmettre[3], mais non pas la volonté.

En effet, s'il n'est pas impossible qu'une volonté particulière s'accorde sur quelque point avec la volonté générale,
il est impossible au moins que cet accord soit durable et
constant ; car la volonté particulière tend par sa nature aux
préférences, et la volonté générale à l'égalité. Il est plus
impossible encore qu'on ait un garant de cet accord quand
même il devrait toujours exister ; ce ne serait pas un effet
de l'art mais du hasard[4]. Le Souverain peut bien dire : je
veux actuellement ce que veut un tel homme ou du moins
ce qu'il dit vouloir ; mais il ne peut pas dire : ce que cet
homme voudra demain, je le voudrai encore ; puisqu'il est
absurde que la volonté se donne des chaînes pour l'avenir,
et puisqu'il ne dépend d'aucune volonté de consentir à
rien de contraire au bien de l'être qui veut. Si donc le
peuple promet simplement d'obéir, il se dissout par cet
acte, il perd sa qualité de peuple ; à l'instant qu'il y a un
maître il n'y a plus de Souverain, et dès lors le corps politique est détruit[5].

Ce n'est point à dire que les ordres des chefs ne puissent
passer pour des volontés générales, tant que le Souverain
libre de s'y opposer ne le fait pas. En pareil cas, du silence
universel on doit présumer le consentement du peuple.
Ceci s'expliquera plus au long[6].

---

1. L'utilité, et surtout la raison. Les hommes s'allient par leurs ressemblances
(volonté générale), et non par leurs différences (ce qui serait une solidarité
matérielle et non morale) ; **2.** Elle est inséparable de son « sujet », qui est : tous ;
3. Cela annonce le livre III : « Du gouvernement », et le chapitre : « Des
représentants » ; **4.** Il n'y a pas d'harmonie préétablie, pas de déterminisme
dans le domaine des volontés (v. plus loin) ; **5.** Puisque son essence est d'être
« actif » et non « passif » ; **6.** Livre III, chap. XI.

CHAPITRE II

QUE LA SOUVERAINETÉ EST INDIVISIBLE

Par la même raison que la souveraineté est inaliénable, elle est indivisible. Car la volonté est générale[1] ou elle ne l'est pas; elle est celle du corps du peuple, ou seulement d'une partie. Dans le premier cas cette volonté déclarée est un acte de souveraineté et fait loi. Dans le second, ce n'est qu'une volonté particulière, ou un acte de magistrature; c'est un décret[2] tout au plus.

Mais nos politiques[3] ne pouvant diviser la souveraineté dans son principe, la divisent dans son objet : ils la divisent en force et en volonté, en puissance législative et en puissance exécutive, en droits d'impôts, de justice et de guerre; en administration intérieure et en pouvoir de traiter avec l'étranger : tantôt ils confondent toutes ces parties et tantôt ils les séparent. Ils font du Souverain un être fantastique et formé de pièces rapportées; c'est comme s'ils composaient l'homme de plusieurs corps, dont l'un aurait des yeux, l'autre des bras, l'autre des pieds, et rien de plus. Les charlatans du Japon dépècent, dit-on, un enfant aux yeux des spectateurs; puis, jetant en l'air tous ses membres l'un après l'autre, ils font retomber l'enfant vivant et tout rassemblé. Tels sont à peu près les tours de gobelets de nos politiques; après avoir démembré le corps social par un prestige digne de la foire, ils rassemblent les pièces on ne sait comment.

Cette erreur vient de ne s'être pas fait des notions exactes de l'autorité souveraine, et d'avoir pris pour des parties de cette autorité ce qui n'en était que des émanations[4]. Ainsi, par exemple, on a regardé l'acte de déclarer la guerre et celui de faire la paix comme des actes de souveraineté; ce qui n'est pas, puisque chacun de ces actes n'est point une loi mais seulement une application de la loi, un acte particulier qui détermine le cas[5] de la loi, comme on le verra clairement quand l'idée attachée au mot *loi* sera fixée[6].

---

1. « Pour qu'une volonté soit générale il n'est pas toujours nécessaire qu'elle soit unanime, mais il est nécessaire que toutes les voix soient comptées; toute exclusion formelle rompt la généralité » (note de Rousseau); 2. *Décret* : acte du pouvoir exécutif (gouvernement) et non législatif; 3. Montesquieu, Grotius, peut-être Locke; 4. Ce mot évoque la philosophie : Spinoza, Leibniz, et le problème de la création; 5. Cf. Kant : différence entre la volonté et ses applications au sensible; 6. Livre II, chap. VI.

En suivant de même les autres divisions on trouverait que toutes les fois qu'on croit voir la souveraineté partagée on se trompe, que les droits qu'on prend pour des parties de cette souveraineté lui sont tous subordonnés, et supposent toujours des volontés suprêmes dont ces droits ne donnent que l'exécution. [...]

CHAPITRE III

SI LA VOLONTÉ GÉNÉRALE PEUT ERRER

Il s'ensuit de ce qui précède que la volonté générale est toujours droite et tend toujours à l'utilité publique : mais il ne s'ensuit pas que les délibérations du peuple aient toujours la même rectitude. On veut toujours son bien, mais on ne le voit pas toujours[1]. Jamais on ne corrompt le peuple, mais souvent on le trompe, et c'est alors seulement qu'il paraît vouloir ce qui est mal.

Il y a souvent bien de la différence entre la volonté de tous et la volonté générale; celle-ci ne regarde qu'à l'intérêt commun, l'autre regarde à l'intérêt privé, et ce n'est qu'une somme de volontés particulières : mais ôtez de ces mêmes volontés les plus et les moins qui s'entre-détruisent, reste pour somme des différences la volonté générale[2].

Si, quand le peuple suffisamment informé délibère, les Citoyens n'avaient aucune communication entre eux, du grand nombre de petites différences résulterait toujours la volonté générale, et la délibération serait toujours bonne. Mais quand il se fait des brigues, des associations partielles aux dépens de la grande[3], la volonté de chacune de ces associations devient générale par rapport à ses membres, et particulière par rapport à l'État : on peut dire alors qu'il n'y a plus autant de votants que d'hommes, mais seulement autant que d'associations. Les différences deviennent moins nombreuses et donnent un résultat moins général. Enfin, quand une de ces associations est si grande qu'elle l'emporte sur toutes les autres, vous n'avez plus pour résultat

1. A rapprocher de la distinction cartésienne entre la volonté infinie et l'entendement fini, qui explique l'erreur; **2.** Il s'agit là, comme l'a remarqué M. Halbwachs, d'une « somme algébrique », où intervient la « loi des grands nombres » et le calcul des probabilités; **3.** Rousseau s'élève ici contre les partis politiques.

une somme de petites différences, mais une différence unique; alors il n'y a plus de volonté générale, et l'avis qui l'emporte n'est qu'un avis particulier[1].

Il importe donc pour avoir bien l'énoncé de la volonté générale qu'il n'y ait pas de société partielle dans l'État, et que chaque Citoyen n'opine que d'après lui[2]. Telle fut l'unique et sublime institution du grand Lycurgue[3]. Que s'il y a des sociétés partielles, il en faut multiplier le nombre et en prévenir l'inégalité, comme firent Solon, Numa, Servius[4]. Ces précautions sont les seules bonnes pour que la volonté générale soit toujours éclairée, et que le peuple ne se trompe point.

CHAPITRE IV

DES BORNES DU POUVOIR SOUVERAIN

Si l'État ou la Cité n'est qu'une personne morale dont la vie consiste dans l'union de ses membres, et si le plus important de ses soins est celui de sa propre conservation, il lui faut une force universelle et compulsive[5] pour mouvoir et disposer chaque partie de la manière la plus convenable au tout. Comme la nature donne à chaque homme un pouvoir absolu sur tous ses membres, le pacte social donne au corps politique un pouvoir absolu sur tous les siens, et c'est ce même pouvoir qui, dirigé par la volonté générale, porte, comme j'ai dit, le nom de souveraineté[6].

Mais, outre la personne publique, nous avons à considérer les personnes privées qui la composent, et dont la vie et la liberté sont naturellement[7] indépendantes d'elle. Il s'agit donc de bien distinguer les droits respectifs des Citoyens et du Souverain[8], et les devoirs qu'ont à remplir les premiers

---

1. Toujours selon les principes énoncés au début. Cf. p. 35, note 2; **2.** Idée énoncée aussi par Machiavel; **3.** Le partage des terres en parts égales, attribuées aux Spartiates doriens; **4.** *Solon* divisa les Athéniens en quatre classes selon leur fortune. *Numa Pompilius* divisa les Romains selon les métiers, *Servius Tullius*, selon la fortune, en centuries (v. chap. IV du livre IV); **5.** D'une seule impulsion; **6.** Cf. livre Ier, chap. VII. Cette comparaison de l'État avec un homme n'est pas neuve (cf. Menenius Agrippa, et jadis Platon, et, plus récent, le *Léviathan*), mais elle prend ici un sens plus profond; Rousseau a écrit par ailleurs (manuscrit de Genève) cette phrase significative : « Comme, dans la constitution de l'homme, l'action de l'âme sur le corps est l'abîme de la philosophie, de même l'action de la volonté générale sur la force publique est l'abîme de la politique dans la constitution de l'État » (cf. fin de la Notice); **7.** Par nature; **8.** Le souverain est l'ensemble des citoyens, dont chacun conserve, de l'état de nature, une part de liberté propre. Ils sont toujours des hommes (cf. plus loin).

en qualité de sujets, du droit naturel dont ils doivent jouir en qualité d'hommes[1].

On convient que tout ce que chacun aliène, par le pacte social, de sa puissance, de ses biens, de sa liberté, c'est seulement la partie de tout cela dont l'usage importe à la communauté, mais il faut convenir aussi que le Souverain[2] seul est juge de cette importance.

Tous les services qu'un citoyen peut rendre à l'État, il les lui doit sitôt que le Souverain les demande; mais le Souverain, de son côté, ne peut charger les sujets d'aucune chaîne inutile à la communauté; il ne peut pas même le vouloir; car sous la loi de raison rien ne se fait sans cause, non plus que sous la loi de nature[3].

Les engagements qui nous lient au corps social ne sont obligatoires que parce qu'ils sont mutuels, et leur nature est telle qu'en les remplissant on ne peut travailler pour autrui sans travailler aussi pour soi. Pourquoi la volonté générale est-elle toujours droite, et pourquoi tous veulent-ils constamment le bonheur de chacun d'eux, si ce n'est parce qu'il n'y a personne qui ne s'approprie ce mot, *chacun*, et qui ne songe à lui-même en votant pour tous[4]? Ce qui prouve que l'égalité de droit et la notion de justice qu'elle produit dérive de la préférence que chacun se donne et par conséquent de la nature de l'homme; que la volonté générale pour être vraiment telle doit l'être dans son objet ainsi que dans son essence[5], qu'elle doit partir de tous pour s'appliquer à tous, et qu'elle perd sa rectitude naturelle lorsqu'elle tend à quelque objet individuel et déterminé, parce qu'alors, jugeant de ce qui nous est étranger, nous n'avons aucun vrai principe d'équité qui nous guide.

En effet, sitôt qu'il s'agit d'un fait ou d'un droit particulier sur un point qui n'a pas été réglé par une convention générale et antérieure, l'affaire devient contentieuse[6]. C'est un procès où les particuliers intéressés sont une des parties, et le public l'autre, mais où je ne vois ni la loi qu'il faut suivre, ni le juge qui doit prononcer. Il serait ridicule de

---

1. Cf. note 4, et la suite du texte; 2. Le peuple, volonté générale; 3. L'utilité, notion raisonnable, joue un rôle dans l'état de nature; et, dans l'état social, elle finit par s'assimiler à la causalité : « rien ne se fait sans cause ». D'où l'impossibilité théorique des abus; 4. L'homme reste égoïste. Mais cette fois c'est un égo-altruisme, égoïsme indirect (Durkheim dira : « abstrait »); 5. Indivisible et inaliénable; 6. Affaire difficile où il faut appliquer une loi à un cas non prévu.

vouloir alors s'en rapporter à une expresse décision de la volonté générale, qui ne peut être que la conclusion de l'une des parties, et qui par conséquent n'est pour l'autre qu'une volonté étrangère, particulière, portée en cette occasion à l'injustice et sujette à l'erreur. Ainsi, de même qu'une volonté particulière ne peut représenter la volonté générale, la volonté générale à son tour change de nature, ayant un objet particulier, et ne peut comme générale prononcer ni sur un homme ni sur un fait. Quand le peuple d'Athènes, par exemple, nommait ou cassait ses chefs, décernait des honneurs à l'un, imposait des peines à l'autre, et par des multitudes de décrets particuliers exerçait indistinctement tous les actes du gouvernement, le peuple alors n'avait plus de volonté générale proprement dite; il n'agissait plus comme Souverain, mais comme Magistrat. Ceci paraîtra contraire aux idées communes, mais il faut me laisser le temps d'exposer les miennes[1].

On doit concevoir par là que ce qui généralise la volonté est moins le nombre des voix que l'intérêt commun qui les unit; car, dans cette institution, chacun se soumet nécessairement aux conditions qu'il impose aux autres : accord admirable de l'intérêt et de la justice, qui donne aux délibérations communes un caractère d'équité qu'on voit évanouir dans la discussion de toute affaire particulière, faute d'un intérêt commun qui unisse et identifie la règle du juge avec celle de la partie.

Par quelque côté qu'on remonte au principe, on arrive toujours à la même conclusion; savoir, que le pacte social établit entre les citoyens une telle égalité qu'ils s'engagent tous sous les mêmes conditions et doivent jouir tous des mêmes droits. Ainsi, par la nature du pacte, tout acte de souveraineté, c'est-à-dire tout acte authentique[2] de la volonté générale, oblige ou favorise également tous les citoyens, en sorte que le Souverain connaît seulement le corps de la nation, et ne distingue aucun de ceux qui la composent[3]. Qu'est-ce donc proprement qu'un acte de souveraineté ? Ce n'est pas une convention du supérieur avec l'inférieur, mais une convention du corps avec chacun de

---

1. Rousseau a souvent remarqué que ses idées étaient lentes à s'ajuster les unes aux autres. D'où ces quelques mouvements d'humeur que nous rencontrerons parfois; **2.** *Authentique :* fait selon les règles; **3.** L' « intention » de la volonté générale doit toujours s'appliquer à un « objet général » (cf. plus haut), idée propre à Rousseau.

ses membres. Convention légitime, parce qu'elle a pour base le contrat social, équitable, parce qu'elle est commune à tous, utile, parce qu'elle ne peut avoir d'autre objet que le bien général, et solide, parce qu'elle a pour garant la force publique et le pouvoir suprême. Tant que les sujets ne sont soumis qu'à de telles conventions, ils n'obéissent à personne, mais seulement à leur propre volonté : et demander jusqu'où s'étendent les droits respectifs du Souverain et des Citoyens[1], c'est demander jusqu'à quel point ceux-ci peuvent s'engager avec eux-mêmes, chacun envers tous et tous envers chacun d'eux.

On voit par là que le pouvoir Souverain, tout absolu, tout sacré, tout inviolable qu'il est, ne passe ni ne peut passer les bornes des conventions générales, et que tout homme peut disposer pleinement de ce qui lui a été laissé de ses biens et de sa liberté par ces conventions; de sorte que le Souverain n'est jamais en droit de charger un sujet plus qu'un autre, parce qu'alors, l'affaire devenant particulière, son pouvoir n'est plus compétent[2].

Ces distinctions une fois admises, il est si faux que dans le contrat social il y ait de la part des particuliers aucune renonciation véritable, que leur situation, par l'effet de ce contrat, se trouve réellement préférable à ce qu'elle était auparavant, et qu'au lieu d'une aliénation ils n'ont fait qu'un échange avantageux d'une manière d'être incertaine et précaire contre une autre meilleure et plus sûre, de l'indépendance naturelle contre la liberté, du pouvoir de nuire à autrui contre leur propre sûreté, et de leur force que d'autres pouvaient surmonter contre un droit que l'union sociale rend invincible. Leur vie même qu'ils ont dévouée à l'État en est continuellement protégée, et lorsqu'ils l'exposent pour sa défense[3] que font-ils alors que lui rendre ce qu'ils ont reçu de lui? Que font-ils qu'ils ne fissent plus fréquemment et avec plus de danger dans l'état de nature, lorsque, livrant des combats inévitables, ils défendraient au péril de leur vie ce qui leur sert à la conserver? Tous ont à combattre au besoin pour la patrie, il est vrai; mais aussi nul n'a jamais à combattre pour soi. Ne gagne-t-on pas encore à courir pour ce qui fait notre sûreté une partie des

---

1. Même distinction que plus haut entre collectif et individuel; 2. Il y a ici un notable « libéralisme » chez Rousseau, que nieront ses détracteurs (v. aux Jugements, celui de Benjamin Constant); 3. Justification du patriotisme.

risques qu'il faudrait courir pour nous-mêmes sitôt qu'elle
nous serait ôtée?

CHAPITRE V

DU DROIT DE VIE ET DE MORT

On demande comment les particuliers n'ayant point
droit de disposer de leur propre vie[1] peuvent transmettre
au Souverain ce même droit qu'ils n'ont pas? Cette question ne paraît difficile à résoudre que parce qu'elle est mal
posée. Tout homme a droit de risquer sa propre vie pour
la conserver. A-t-on jamais dit que celui qui se jette par une
fenêtre pour échapper à un incendie soit coupable de
suicide? A-t-on même jamais imputé ce crime à celui
qui périt dans une tempête dont en s'embarquant il n'igno-
rait pas le danger?

Le traité social a pour fin la conservation des contractants. Qui veut la fin veut aussi les moyens, et ces moyens
sont inséparables de quelques risques, même de quelques
pertes. Qui veut conserver sa vie aux dépens des autres
doit la donner aussi pour eux quand il faut. Or, le Citoyen
n'est plus juge du péril[2] auquel la loi veut qu'il s'expose;
et quand le Prince[3] lui a dit : « Il est expédient[4] à l'État que
tu meures », il doit mourir; puisque ce n'est qu'à cette
condition[5] qu'il a vécu en sûreté jusqu'alors, et que sa vie
n'est plus seulement un bienfait de la nature, mais un don
conditionnel de l'État.

La peine de mort infligée aux criminels peut être envi-
sagée à peu près sous le même point de vue : c'est pour
n'être pas la victime d'un assassin que l'on consent à mourir
si on le[6] devient. Dans ce traité, loin de disposer de sa propre
vie on ne songe qu'à la garantir, et il n'est pas à présumer
qu'aucun des contractants prémédite alors de se faire
pendre.

D'ailleurs tout malfaiteur, attaquant le droit social,
devient par ses forfaits rebelle et traître à la patrie, il cesse

---

1. Thèse à discuter. Le suicide est-il permis? Rousseau prend position en
raison de ses croyances religieuses (l'homme dépend de Dieu seul); 2. Le péril
n'est qu'un cas particulier. Il a accepté la loi « en bloc »; 3. Le gouvernement
exécuteur des lois; 4. *Expédient :* favorable; 5. Sous sa forme générale;
6. Assassin.

d'en être membre[1] en violant ses lois, et même il lui fait la guerre. Alors la conservation de l'Etat est incompatible avec la sienne, il faut qu'un des deux périsse, et quand on fait mourir le coupable, c'est moins comme Citoyen que comme ennemi. Les procédures, le jugement, sont les preuves et la déclaration qu'il a rompu le traité social, et par conséquent qu'il n'est plus membre de l'État. Or, comme il s'est reconnu tel, tout au moins par son séjour[2], il en doit être retranché par l'exil comme infracteur[3] du pacte, ou par la mort comme ennemi public; car un tel ennemi n'est pas une personne morale, c'est un homme, et c'est alors que le droit de la guerre est de tuer le vaincu.

Mais, dira-t-on, la condamnation d'un Criminel est un acte particulier. D'accord : aussi cette condamnation n'appartient-elle point au Souverain; c'est un droit qu'il peut conférer sans pouvoir l'exercer lui-même[4]. Toutes mes idées se tiennent, mais je ne saurais les exposer toutes à la fois[5].

Au reste la fréquence des supplices est toujours un signe de faiblesse ou de paresse dans le Gouvernement. Il n'y a point de méchant qu'on ne pût rendre bon à quelque chose. On n'a droit de faire mourir, même pour l'exemple, que celui qu'on ne peut conserver sans danger[6].

A l'égard du droit de faire grâce ou d'exempter un coupable de la peine portée par la loi et prononcée par le juge, il n'appartient qu'à celui qui est au-dessus du juge et de la loi, c'est-à-dire au Souverain; encore son droit en ceci n'est-il pas bien net[7], et les cas d'en user sont-ils très rares. Dans un État bien gouverné il y a peu de punitions, non parce qu'on fait beaucoup de grâces, mais parce qu'il y a peu de criminels : la multitude des crimes en assure l'impunité lorsque l'État dépérit[8]. Sous la République Romaine jamais le sénat ni les consuls ne tentèrent de faire grâce; le peuple même n'en faisait pas, quoiqu'il révocât quelquefois son propre jugement. Les fréquentes grâces annoncent que bientôt les forfaits n'en auront plus besoin[9], et chacun

---

1. Il rompt le pacte social, donc entre l'État et lui renaît l'état de nature et même de guerre : il devient étranger, et « ennemi public »; **2.** Cf. livre IV, chap. II (Habiter un pays c'est accepter implicitement toutes ses lois); **3.** Qui a fait *infraction* à...; **4.** Puisque l'objet de la volonté générale doit être général; **5.** Autre mouvement d'humeur, assez plaisant, contre la contradiction imaginaire; **6.** La peine capitale est justifiée par la « légitime défense » sociale; **7.** Ce serait en effet appliquer la volonté générale à un cas particulier; **8.** Rousseau annonce les « statistiques de criminalité » modernes; **9.** Parce qu'ils resteront impunis.

voit où cela mène. Mais je sens que mon cœur murmure et retient ma plume : laissons discuter ces questions à l'homme juste qui n'a point failli, et qui jamais n'eut lui-même besoin de grâce[1].

CHAPITRE VI

DE LA LOI

Par le pacte social nous avons donné l'existence et la vie au corps politique : il s'agit maintenant de lui donner le mouvement et la volonté par la législation[2]. Car l'acte primitif par lequel ce corps se forme et s'unit ne détermine rien encore de ce qu'il doit faire pour se conserver.

Ce qui est bien et conforme à l'ordre est tel par la nature des choses et indépendamment des conventions humaines. Toute justice vient de Dieu, lui seul en est la source; mais si nous savions la recevoir de si haut, nous n'aurions besoin ni de gouvernement ni de lois[3]. Sans doute il est une justice universelle émanée de la raison seule[4], mais cette justice, pour être admise entre nous, doit être réciproque. A considérer humainement les choses, faute de sanction naturelle, les lois de la justice sont vaines parmi les hommes; elles ne font que le bien du méchant et le mal du juste, quand celui-ci les observe avec[5] tout le monde sans que personne les observe avec lui. Il faut donc des conventions et des lois pour unir les droits aux devoirs et ramener la justice à son objet[6]. Dans l'état de nature, où tout est commun, je ne dois rien à ceux à qui je n'ai rien promis, je ne reconnais pour être à autrui que ce qui m'est inutile. Il n'en est pas ainsi dans l'état civil où tous les droits sont fixés par la loi.

Mais qu'est-ce donc enfin qu'une loi ? Tant qu'on se contentera de n'attacher à ce mot que des idées métaphysiques, on continuera de raisonner sans s'entendre, et quand on aura dit ce que c'est qu'une loi de la nature on n'en saura pas mieux ce que c'est qu'une loi de l'État.

J'ai déjà dit qu'il n'y avait point de volonté générale sur un objet particulier. En effet, cet objet particulier est

---

1. C'est le Rousseau des *Confessions* qui apparaît (sentiment de culpabilité, tentation de pardonner, refus de juger) et trouble le législateur « romain »; **2.** Passage de la théorie à la pratique; **3.** Cf. fin du *Contrat* : « De la religion civile »; **4.** C'est la loi morale universelle qu'exposera Kant; **5.** Envers; **6.** La loi civile.

dans l'État ou hors de l'État. S'il est hors de l'État, une volonté qui lui est étrangère n'est point générale par rapport à lui; et si cet objet est dans l'État, il en fait partie: alors il se forme entre le tout et sa partie une relation qui en fait deux êtres séparés, dont la partie est l'un, et le tout, moins cette même partie, est l'autre. Mais le tout moins une partie n'est point le tout et tant que ce rapport subsiste il n'y a plus de tout mais deux parties inégales: d'où il suit que la volonté de l'une n'est point non plus générale par rapport à l'autre[1].

Mais quand tout le peuple statue sur tout le peuple il ne considère que lui-même; et s'il se forme alors un rapport, c'est de l'objet entier sous un point de vue[2] à l'objet entier sous un autre point de vue[3] sans aucune division du tout. Alors la matière sur laquelle on statue est générale comme la volonté qui statue. C'est cet acte que j'appelle une loi.

Quand je dis que l'objet des lois est toujours général, j'entends que la loi considère les sujets en corps et les actions comme abstraites, jamais un homme comme individu ni une action particulière. Ainsi la loi peut bien statuer qu'il y aura des privilèges, mais elle n'en peut donner nommément à personne; la loi peut faire plusieurs Classes de Citoyens, assigner même les qualités qui donneront droit à ces Classes, mais elle ne peut nommer tels et tels pour y être admis; elle peut établir un Gouvernement royal et une succession héréditaire, mais elle ne peut élire un roi, ni nommer une famille royale[4], en un mot, toute fonction qui se rapporte à un objet individuel n'appartient point à la puissance législative.

Sur cette idée, on voit à l'instant qu'il ne faut plus demander à qui il appartient de faire des lois, puisqu'elles sont des actes de la volonté générale, ni si le Prince[5] est au-dessus des lois, puisqu'il est membre de l'État; ni si la loi peut être injuste, puisque nul n'est injuste envers lui-même; ni comment on est libre et soumis aux lois, puisqu'elles ne sont que des registres de nos volontés.

On voit encore que la loi réunissant l'universalité de la volonté et celle de l'objet, ce qu'un homme, quel qu'il puisse être, ordonne de son chef n'est point une loi: ce

---

1. Cf. chap. III; **2.** Le souverain (actif); **3.** Les sujets (passifs); **4.** Distinctions parfois douteuses: où cesse le général, où commence le particulier? **5.** Le gouvernement, l'ensemble des magistrats.

qu'ordonne même le Souverain sur un objet particulier n'est pas non plus une loi, mais un décret, ni un acte de souveraineté, mais de magistrature.

J'appelle donc République tout État régi par des lois sous quelque forme d'administration que ce puisse être : car alors seulement l'intérêt public gouverne, et la chose publique est quelque chose. Tout Gouvernement légitime est républicain[1] : j'expliquerai ci-après ce que c'est que Gouvernement.

Les lois ne sont proprement que les conditions de l'association civile[2]. Le Peuple soumis aux lois en doit être l'auteur; il n'appartient qu'à ceux qui s'associent de régler les conditions de la société. Mais comment les régleront-ils? Sera-ce d'un commun accord, par une inspiration subite? Le corps politique a-t-il un organe pour énoncer ses volontés[3]? Qui lui donnera la prévoyance nécessaire pour en former les actes et les publier d'avance, ou comment les prononcera-t-il au moment du besoin? Comment une multitude aveugle qui souvent ne sait ce qu'elle veut, parce qu'elle sait rarement ce qui lui est bon, exécutera-t-elle d'elle-même une entreprise aussi grande, aussi difficile qu'un système de législation? De lui-même le peuple veut toujours le bien, mais de lui-même il ne le voit pas toujours[4]. La volonté générale est toujours droite, mais le jugement qui la guide n'est pas toujours éclairé. Il faut lui faire voir les objets tels qu'ils sont, quelquefois tels qu'ils doivent lui paraître[5], lui montrer le bon chemin qu'elle cherche, la garantir de la séduction[6] des volontés particulières, rapprocher à ses yeux les lieux et les temps[7], balancer l'attrait des avantages présents et sensibles par le danger des maux éloignés et cachés. Les particuliers voient le bien qu'ils rejettent; le public veut le bien qu'il ne voit pas. Tous ont également besoin de guides. Il faut obliger les uns à conformer leurs volontés à leur raison; il faut apprendre à l'autre à connaître ce qu'il veut. Alors des lumières publiques

---

1. « Je n'entends pas seulement par ce mot une aristocratie ou une démocratie, mais [...] tout gouvernement guidé par la volonté générale [...], alors la monarchie elle-même est république » (note de Rousseau); 2. Parce qu'elles émanent du pacte social qui l'a formée; 3. Les difficultés renaissent; Rousseau sent le besoin de recourir à un individu concret, de « reprendre pied » dans le réel. Cf. Notice; 4. Distinction, comme chez Descartes, entre volonté et entendement; 5. Une certaine « duperie » est parfois nécessaire. La politique est un « art »; 6. Aux deux sens : attrait, et erreur, déviation; 7. Sens historique. Le législateur doit avoir l'*expérience* (cf. Platon).

résulte l'union de l'entendement et de la volonté dans le corps social, de là l'exact concours des parties, et enfin la plus grande force du tout. Voilà d'où naît la nécessité d'un Législateur[1].

CHAPITRE VII

DU LÉGISLATEUR

Pour découvrir les meilleures règles de société qui conviennent aux nations, il faudrait une intelligence supérieure qui vît toutes les passions des hommes et qui n'en éprouvât aucune; qui n'eût aucun rapport avec notre nature et qui la connût à fond; dont le bonheur fût indépendant de nous et qui pourtant voulût bien s'occuper du nôtre; enfin, qui, dans le progrès des temps se ménageant une gloire éloignée, pût travailler dans un siècle et jouir dans un autre[2]. Il faudrait des Dieux pour donner des lois aux hommes.

Le même raisonnement que faisait Caligula quant au fait[3], Platon le faisait quant au droit[4] pour définir l'homme civil ou royal qu'il cherche dans son livre du règne[5]. Mais s'il est vrai qu'un grand Prince est un homme rare, que sera-ce d'un grand Législateur? Le premier n'a qu'à suivre le modèle que l'autre doit proposer. Celui-ci est le mécanicien qui invente la machine, celui-là n'est que l'ouvrier qui la monte et la fait marcher. Dans la naissance des sociétés, dit Montesquieu, ce sont les chefs des républiques[6] qui font l'institution, et c'est ensuite l'institution qui forme les chefs des républiques[7].

Celui qui ose entreprendre d'instituer un peuple doit se sentir en état de changer, pour ainsi dire, la nature humaine; de transformer chaque individu, qui par lui-même est un tout parfait et solitaire, en partie d'un plus grand tout dont cet individu reçoive en quelque sorte sa vie et son être; d'altérer[8] la constitution de l'homme pour la renforcer; de

---

1. Cette nécessité reste malgré tout discutable. On a souvent reproché à Rousseau ce *deus ex machina*; 2. «Un peuple ne devient célèbre que quand sa législation commence à décliner» (note de Rousseau); 3. Le roi est supérieur aux sujets comme le berger au troupeau; 4. Le législateur *doit* être supérieur aux hommes : il devrait être divin; 5. *Le Politique*; 6. Ici : législateurs; 7. Ici : gouvernants, magistrats; 8. De « dénaturer » l'homme (cf. Notice). La mère spartiate qui ne pleure pas son fils mort, mais se réjouit de la victoire, est, à la lettre, mère « dénaturée » (au sens laudatif).

substituer une existence partielle et morale à l'existence physique et indépendante que nous avons tous reçue de la nature. Il faut, en un mot, qu'il ôte à l'homme ses forces propres pour lui en donner qui lui soient étrangères et dont il ne puisse faire usage sans le secours d'autrui. Plus ces forces naturelles sont mortes et anéanties, plus les acquises sont grandes et durables, plus aussi l'institution est solide et parfaite[1]. [...]

Le législateur est à tous égards un homme extraordinaire dans l'Etat. S'il doit l'être par son génie, il ne l'est pas moins par son emploi. Ce n'est point magistrature[2], ce n'est point souveraineté[3]. Cet emploi, qui constitue la république, n'entre point dans sa constitution; c'est une fonction particulière et supérieure qui n'a rien de commun avec l'empire humain; car si celui qui commande aux hommes ne doit pas commander aux lois celui qui commande aux lois ne doit pas non plus commander aux hommes[4], autrement ses lois, ministres de ses passions, ne feraient souvent que perpétuer ses injustices, et jamais il ne pourrait éviter que des vues particulières n'altérassent la sainteté de son ouvrage.

Quand Lycurgue donna des lois à sa patrie, il commença par abdiquer la Royauté[5]. C'était la coutume de la plupart des villes grecques de confier à des étrangers l'établissement des leurs. Les Républiques modernes de l'Italie imitèrent souvent cet usage; celle de Genève en fit autant et s'en trouva bien. Rome, dans son plus bel âge, vit renaître en son sein tous les crimes de la Tyrannie, et se vit prête à périr, pour avoir réuni sur les mêmes têtes[6] l'autorité législative et le pouvoir souverain. [...]

Ainsi l'on trouve à la fois dans l'ouvrage de la législation deux choses qui semblent incompatibles : une entreprise au-dessus de la force humaine et, pour l'exécuter, une autorité qui n'est rien.

Autre difficulté qui mérite attention. Les sages qui veulent parler au vulgaire leur langage au lieu du sien n'en sauraient être entendus. Or, il y a mille sortes d'idées qu'il est impossible de traduire dans la langue du peuple. Les vues trop générales et les objets trop éloignés sont également hors de

---

1. Cf. p. 49, note 7. L'exemple est cité dans l'*Emile* (livre Ier); 2. Car il est antérieur aux lois, donc, *a fortiori*, à leurs exécuteurs; 3. Car c'est un individu (mais sa volonté doit être générale. Là est le problème); 4. C'est une autorité spirituelle. Rousseau pense à Calvin, législateur de Genève; 5. Il n'était alors que tuteur du roi; 6. Les décemvirs.

sa portée : chaque individu ne goûtant d'autre plan de gouvernement que celui qui se rapporte à son intérêt particulier, aperçoit difficilement les avantages qu'il doit retirer des privations continuelles qu'imposent les bonnes lois. Pour qu'un peuple naissant pût goûter les saines maximes de la politique et suivre les règles fondamentales de la raison d'État, il faudrait que l'effet pût devenir cause, que l'esprit social, qui doit être l'ouvrage de l'institution, présidât à l'institution même ; et que les hommes fussent avant les lois ce qu'ils doivent devenir par elles. Ainsi donc le Législateur ne pouvant employer ni la force ni le raisonnement, c'est une nécessité qu'il recoure à une autorité d'un autre ordre[1] qui puisse entraîner sans violence et persuader sans convaincre[2].

Voilà ce qui força de tous temps les pères des nations de recourir à l'intervention du ciel et d'honorer les Dieux de leur propre sagesse[3], afin que les peuples soumis aux lois de l'État comme à celles de la nature et reconnaissant le même pouvoir dans la formation de l'homme et dans celle de la cité, obéissent avec liberté et portassent docilement le joug de la félicité publique[4].

Cette raison sublime qui s'élève au-dessus de la portée des hommes vulgaires est celle dont le législateur met les décisions dans la bouche des immortels, pour entraîner par l'autorité divine ceux que ne pourrait ébranler la prudence humaine[5]. Mais il n'appartient pas à tout homme de faire parler des Dieux, ni d'en[6] être cru quand il s'annonce pour être leur interprète. La grande âme du Législateur est le vrai miracle qui doit prouver sa mission. Tout homme peut graver des tables de pierre, ou acheter un oracle, ou feindre un secret commerce avec quelque divinité, ou dresser un oiseau pour lui parler à l'oreille, ou trouver d'autres moyens grossiers d'en imposer au peuple. Celui qui ne saura que cela pourra même assembler par hasard une troupe d'insensés, mais il ne fondera jamais un empire, et son extravagant ouvrage périra bientôt avec lui. De vains prestiges forment un lien passager, il n'y a que la sagesse[7] qui le rende durable.

---

1. L'ordre *divin*, la religion. Rousseau l'explique ensuite, comme il fait souvent ; **2.** *Persuader :* amener à consentir ; *convaincre :* forcer l'opinion ; **3.** « La loi est censée avoir une origine divine » (Bossuet) ; **4.** Notion de la loi impersonnelle et générale comme les lois naturelles. Le législateur, homme « inspiré », rejoint la nature ; on songe aux *Deux sources de la morale et de la religion*, de Bergson : le héros retrouvant « l'élan vital » (morale *ouverte*) ; **5.** Belle phrase contrastée ; **6.** *En :* en cette matière, à propos de cela ; **7.** Comme, chez Platon, la *Science*.

La loi judaïque toujours subsistante, celle de l'enfant d'Ismaël[1] qui depuis dix siècles régit la moitié du monde, annoncent encore aujourd'hui les grands hommes qui les ont dictées; et tandis que l'orgueilleuse philosophie ou l'aveugle esprit de parti ne voit en eux que d'heureux imposteurs, le vrai politique admire dans leurs institutions ce grand et puissant génie qui préside aux établissements durables. [...]

CHAPITRE VIII

DU PEUPLE[2]

Comme avant d'élever un grand édifice l'architecte observe et sonde le sol pour voir s'il en peut soutenir le poids, le sage instituteur[3] ne commence pas par rédiger de bonnes lois en elles-mêmes, mais il examine auparavant si le peuple auquel il les destine est propre à les supporter. C'est pour cela que Platon refusa de donner des lois aux Arcadiens et aux Cyréniens, sachant que ces deux peuples étaient riches et ne pouvaient souffrir l'égalité[4] : c'est pour cela qu'on vit en Crète de bonnes lois et de méchants hommes, parce que Minos n'avait discipliné qu'un peuple chargé de vices.

Mille nations ont brillé sur la terre qui n'auraient jamais pu souffrir de bonnes lois; et celles même qui l'auraient pu n'ont eu, dans toute leur durée, qu'un temps fort court pour cela. La plupart des Peuples, ainsi que des hommes, ne sont dociles que dans leur jeunesse; ils deviennent incorrigibles en vieillissant. Quand une fois les coutumes sont établies et les préjugés enracinés, c'est une entreprise dangereuse et vaine de vouloir les réformer; le peuple ne peut pas même souffrir qu'on touche à ses maux pour les détruire, semblable à ces malades stupides et sans courage qui frémissent à l'aspect du médecin

Ce n'est pas que, comme quelques maladies bouleversent la tête des hommes et leur ôtent le souvenir du passé, il ne se trouve quelquefois dans la durée des États des époques

---

1. Mahomet; **2.** Ici vont intervenir des notions concrètes de « rapports » et « convenances » entre lois et peuples. C'est l' « art » du législateur, c'est l' « esprit » des lois. Dans ce chapitre VIII, on considère l' « âge » du peuple; **3.** Au sens de législateur *(instituere)* ; **4.** Fait rapporté par Plutarque. On voit ici l'*opportunisme* de Rousseau (cf. Notice).

violentes où les révolutions font sur les peuples ce que certaines crises font sur les individus, où l'horreur du passé tient lieu d'oubli, et où l'État, embrasé par les guerres civiles, renaît pour ainsi dire de sa cendre et reprend la vigueur de la jeunesse en sortant des bras de la mort[1]. Telle fut Sparte au temps de Lycurgue, telle fut Rome après les Tarquins, et telles ont été parmi nous la Hollande et la Suisse après l'expulsion des Tyrans[2].

Mais ces événements sont rares; ce sont des exceptions dont la raison se trouve toujours dans la constitution particulière de l'État excepté. Elles ne sauraient même avoir lieu deux fois pour le même peuple, car il peut se rendre libre tant qu'il n'est que barbare, mais il ne le peut plus quand le ressort civil est usé[3]. Alors les troubles peuvent le détruire sans que les révolutions puissent le rétablir, et sitôt que ses fers sont brisés, il tombe épars et n'existe plus. Il lui faut désormais un maître et non pas un libérateur. Peuples libres, souvenez-vous de cette maxime : « On peut acquérir la liberté, mais on ne la recouvre jamais[4]. »

La jeunesse n'est pas l'enfance. Il est pour les Nations comme pour les hommes un temps de jeunesse ou, si l'on veut, de maturité qu'il faut attendre avant de les soumettre à des lois : mais la maturité d'un peuple n'est pas toujours facile à connaître, et si on la prévient l'ouvrage est manqué[5]. Tel peuple est disciplinable en naissant, tel autre ne l'est pas au bout de dix siècles. Les Russes ne seront jamais vraiment policés, parce qu'ils l'ont été trop tôt. Pierre[6] avait le génie imitatif; il n'avait pas le vrai génie, celui qui crée et fait tout de rien. Quelques-unes des choses qu'il fit étaient bien, la plupart étaient déplacées. Il a vu que son peuple était barbare, il n'a point vu qu'il n'était pas mûr pour la police[7], il l'a voulu civiliser quand il ne fallait que l'aguerrir. Il a d'abord voulu faire des Allemands, des Anglais, quand il fallait commencer par faire des Russes[8] :

---

1. Belle formule de psychologue (= l'amnésie systématisée) sur ce mode de rajeunissement des États par le feu, à la manière du Phœnix; **2.** Allusion aux luttes menées aux Pays-Bas par Egmont et Guillaume d'Orange contre l'Espagne, et à celles de Guillaume Tell contre l'Empereur pour donner l'indépendance aux cantons suisses; **3.** L'état de nature est trop loin, le peuple est « dénaturé » dans un mauvais sens. Cf. Machiavel; **4.** Parce qu'on « s'habitue » à l'esclavage; **5.** Ton pédagogique, qui rappelle l'*Emile* ; **6.** Pierre Ier; **7.** Rapprocher de l'adjectif : « policé »; **8.** « Tout peuple a ou doit avoir un caractère national; s'il en manquait, il faudrait commencer par le lui donner » (Rousseau, *Projet de constitution pour la Corse*).

il a empêché ses sujets de devenir jamais ce qu'ils pourraient être, en leur persuadant qu'ils étaient ce qu'ils ne sont pas. C'est ainsi qu'un Précepteur français forme son élève pour briller au moment de son enfance, et puis n'être jamais rien[1]. L'Empire de Russie voudra subjuguer l'Europe et sera subjugué lui-même. Les Tartares, ses sujets ou ses voisins, deviendront ses maîtres et les nôtres. Cette révolution me paraît infaillible. Tous les Rois de l'Europe travaillent de concert à l'accélérer[2].

CHAPITRE IX[3]

Comme la nature a donné des termes à la stature d'un homme bien conformé, passé lesquels elle ne fait plus que des Géants ou des Nains, il y a de même, eu égard à la meilleure constitution d'un Etat, des bornes à l'étendue qu'il peut avoir, afin qu'il ne soit ni trop grand pour pouvoir être bien gouverné, ni trop petit pour pouvoir se maintenir par lui-même. Il y a dans tout corps politique un *maximum* de force qu'il ne saurait passer, et duquel souvent il s'éloigne à force de s'agrandir. Plus le lien social s'étend, plus il se relâche ; et en général un petit État est proportionnellement plus fort qu'un grand.

Mille raisons démontrent cette maxime. Premièrement l'administration devient plus pénible dans les grandes distances, comme un poids devient plus lourd au bout d'un plus grand levier. Elle devient aussi plus onéreuse à mesure que les degrés[4] se multiplient : car chaque ville a d'abord la sienne, que le peuple paye, chaque district la sienne encore payée par le peuple, ensuite chaque province, puis les grands gouvernements, les Satrapies, les Vice-royautés, qu'il faut toujours payer plus cher à mesure qu'on monte, et toujours aux dépens du malheureux peuple ; enfin vient l'administration suprême, qui écrase tout. Tant de surcharges épuisent continuellement les sujets : loin d'être mieux gouvernés par tous ces différents ordres, ils le sont moins bien que s'il n'y en avait qu'un seul au-dessus d'eux.

---

1. La frivolité des Français est souvent dénoncée par Rousseau, comme elle l'avait déjà été par Montesquieu (cf. *Lettres persanes*) ; 2. Ton prophétique ; 3. Suite des considérations d'opportunité : il faut tenir compte de l'espace occupé et de la population ; 4. La hiérarchie administrative.

JEAN LOCKE

Le philosophe anglais John Locke (1632-1704)
dont certains ouvrages ont influencé la pensée de J.-J. Rousseau.

Cependant à peine reste-t-il des ressources pour les cas extraordinaires; et quand il y faut recourir, l'État est toujours à la veille de sa ruine.

Ce n'est pas tout; non seulement le Gouvernement a moins de vigueur et de célérité pour faire observer les lois, empêcher les vexations, corriger les abus, prévenir les entreprises séditieuses qui peuvent se faire dans des lieux éloignés, mais le peuple a moins d'affection pour ses chefs qu'il ne voit jamais, pour la patrie qui est à ses yeux comme le monde, et pour ses concitoyens dont la plupart lui sont étrangers[1]. Les mêmes lois ne peuvent convenir à tant de provinces diverses qui ont des mœurs différentes, qui vivent sous des climats opposés, et qui ne peuvent souffrir la même forme de gouvernement. Des lois différentes n'engendrent que trouble et confusion parmi des peuples qui, vivant sous les mêmes chefs et dans une communication continuelle, passent ou se marient les uns chez les autres et, soumis à d'autres coutumes, ne savent jamais si leur patrimoine est bien à eux[2]. Les talents sont enfouis, les vertus ignorées, les vices impunis, dans cette multitude d'hommes inconnus les uns aux autres, que le siège de l'administration suprême rassemble dans un même lieu. Les Chefs accablés d'affaires ne voient rien par eux-mêmes, des commis gouvernent l'État. Enfin, les mesures qu'il faut prendre pour maintenir l'autorité générale, à laquelle tant d'Officiers éloignés veulent se soustraire ou en imposer, absorbent tous les soins publics; il n'en reste plus pour le bonheur du peuple, à peine en reste-t-il pour sa défense au besoin; et c'est ainsi qu'un corps trop grand pour sa constitution s'affaisse et périt écrasé sous son propre poids.

D'un autre côté, l'État doit se donner une certaine base pour avoir de la solidité, pour résister aux secousses qu'il ne manquera pas d'éprouver et aux efforts qu'il sera contraint de faire pour se soutenir : car tous les peuples ont une espèce de force centrifuge, par laquelle ils agissent continuellement les uns contre les autres et tendent à s'agrandir aux dépens de leurs voisins, comme les tourbillons de Descartes. Ainsi les faibles risquent d'être bientôt engloutis et nul ne peut guère se conserver qu'en se mettant avec tous dans

---

1. Cf. les idées de Montesquieu. En outre, on songe à l'univers de Kafka, en particulier à la « Muraille de Chine »; 2. Il y a donc deux fléaux opposés. La situation est sans issue.

une espèce d'équilibre, qui rende la compression partout à peu près égale[1].

On voit par là qu'il y a des raisons de s'étendre et des raisons de se resserrer, et ce n'est pas le moindre talent du politique de trouver entre les unes et les autres la proportion la plus avantageuse à la conservation de l'État. On peut dire en général que les premières[2], n'étant qu'extérieures et relatives, doivent être subordonnées aux autres, qui sont internes et absolues; une saine et forte constitution est la première chose qu'il faut rechercher, et l'on doit plus compter sur la vigueur qui naît d'un bon gouvernement que sur les ressources que fournit un grand territoire.

Au reste, on a vu des États tellement constitués[3], que la nécessité des conquêtes entrait dans leur constitution même, et que, pour se maintenir, ils étaient forcés de s'agrandir sans cesse. Peut-être se félicitaient-ils beaucoup de cette heureuse nécessité, qui leur montrait pourtant, avec le terme de leur grandeur, l'inévitable moment de leur chute[4].

CHAPITRE X[5]

[...] Quel peuple est donc propre à la législation? Celui qui, se trouvant déjà lié par quelque union d'origine, d'intérêt ou de convention[6], n'a point encore porté le vrai joug des lois; celui qui n'a ni coutumes, ni superstitions bien enracinées; celui qui ne craint pas d'être accablé par une invasion subite, qui, sans entrer dans les querelles de ses voisins, peut résister seul à chacun d'eux, ou s'aider de l'un pour repousser l'autre; celui dont chaque membre peut être connu de tous, et où l'on n'est point forcé de charger un homme d'un plus grand fardeau qu'un homme ne peut porter; celui qui peut se passer des autres peuples, et dont tout autre peuple peut se passer; celui qui n'est ni riche ni pauvre, et peut se suffire à lui-même; enfin celui qui réunit la consistance d'un ancien peuple avec la docilité d'un peuple nouveau. Ce qui rend pénible l'ouvrage de la

---

1. Image tirée des sciences physiques; **2.** C'est-à-dire les raisons de s'étendre. Il y a dans un État comme dans tout être une « finalité interne », une « finalité externe », et un équilibre optimum à trouver; **3.** *Constitués* : solidement organisés; **4.** Tout ce passage est influencé par *l'Esprit des lois* ; **5.** On y considérera l' « économie » du peuple. Très long chapitre, que nous coupons jusqu'à sa dernière page, qui le résume; **6.** Union due à des « nécessités physiques », mais qui n'est pas le contrat social (cf. *Discours sur l'inégalité*).

législation, est moins ce qu'il faut établir que ce qu'il faut détruire; et ce qui rend le succès si rare, c'est l'impossibilité de trouver la simplicité de la nature jointe aux besoins de la société. Toutes ces conditions, il est vrai, se trouvent difficilement rassemblées. Aussi voit-on peu d'États bien constitués.

Il est encore en Europe un pays capable de législation; c'est l'Ile de Corse[1]. La valeur et la constance avec laquelle ce brave peuple a su recouvrer et défendre sa liberté mériterait bien que quelque homme sage lui apprît à la conserver. J'ai quelque pressentiment qu'un jour cette petite île étonnera l'Europe[2].

CHAPITRE XI

DES DIVERS SYSTÈMES DE LÉGISLATION

Si l'on recherche en quoi consiste précisément le plus grand bien de tous, qui doit être la fin de tout système de législation, on trouvera qu'il se réduit à deux objets principaux, la *liberté*, et l'*égalité*. La liberté, parce que toute dépendance particulière est autant de force ôtée au corps de l'État; l'égalité parce que la liberté ne peut subsister sans elle[3].

J'ai déjà dit ce que c'est que la liberté civile[4]; à l'égard de l'égalité, il ne faut pas entendre par ce mot que les degrés de puissance et de richesse soient absolument les mêmes, mais que, quant à la puissance, elle soit au-dessus de toute violence et ne s'exerce jamais qu'en vertu du rang et des lois et, quant à la richesse, que nul citoyen ne soit assez opulent pour en pouvoir acheter un autre, et nul assez pauvre pour être contraint de se vendre. Ce qui suppose du côté des Grands modération de biens et de crédit, et du côté des petits, modération d'avarice et de convoitise.

Cette égalité, disent-ils[5], est une chimère de spéculation qui ne peut exister dans la pratique. Mais si l'abus est inévitable, s'ensuit-il qu'il ne faille pas au moins le régler?

---

1. On sait que Rousseau fut appelé par les Corses pour leur donner des lois. Il rédigea un « Projet de législation pour la Corse », qui n'eut pas de suites; **2.** Prophétie étonnante, mais involontaire : Rousseau ne désirerait évidemment pas le règne de Napoléon; **3.** Cf. Montesquieu, *l'Esprit des lois* ; **4.** Cf. livre Ier, chap. VIII; **5.** Désigne ceux que Rousseau a appelés « nos politiques ».

C'est précisément parce que la force des choses tend toujours à détruire l'égalité, que la force de la législation doit toujours tendre à la maintenir[1].

Mais ces objets généraux de toute bonne institution doivent être modifiés en chaque pays par les rapports qui naissent, tant de la situation locale, que du caractère des habitants, et c'est sur ces rapports qu'il faut assigner à chaque peuple un système particulier d'institution, qui soit le meilleur, non peut-être en lui-même, mais pour l'État auquel il est destiné. Par exemple le sol est-il ingrat et stérile; ou le pays trop serré pour les habitants? Tournez-vous du côté de l'industrie et des arts, dont vous échangerez les productions contre les denrées qui vous manquent. Au contraire, occupez-vous de riches plaines et des coteaux fertiles? Dans un bon terrain, manquez-vous d'habitants? Donnez tous vos soins à l'agriculture qui multiplie les hommes, et chassez les arts qui ne feraient qu'achever de dépeupler le pays en attroupant sur quelques points du territoire le peu d'habitants qu'il a. Occupez-vous des rivages étendus et commodes? Couvrez la mer de vaisseaux, cultivez le commerce et la navigation; vous aurez une existence brillante et courte. La mer ne baigne-t-elle sur vos côtes que des rochers presque inaccessibles? Restez barbares et Ichtyophages[2]; vous en vivrez plus tranquilles, meilleurs peut-être, et sûrement plus heureux. En un mot, outre les maximes communes à tous, chaque Peuple renferme en lui quelque cause qui les ordonne d'une manière particulière et rend sa législation propre à lui seul. C'est ainsi qu'autrefois les Hébreux et récemment les Arabes ont eu pour principal objet la religion, les Athéniens, les lettres, Carthage et Tyr, le commerce, Rhodes, la marine, Sparte, la guerre, et Rome, la vertu[3]. L'auteur de *l'Esprit des lois*[4] a montré dans des foules d'exemples par quel art le législateur dirige l'institution vers chacun de ces objets.

Ce qui rend la constitution d'un État véritablement solide et durable, c'est quand les convenances[5] sont tellement observées que les rapports naturels[6] et les lois tombent

---

1. Idée encore vague, que Rousseau précisera surtout dans le livre III; **2.** *Ichtyophages :* mangeurs de poissons, peuples primitifs; **3.** Au double sens d'efficacité *(virtus)* et aussi de vertu morale; **4.** Montesquieu. V. *l'Esprit des lois*, livres XI, XX, XXII; **5.** Les rapports convenables, naturels; **6.** Cf. Montesquieu : « Les lois sont les rapports nécessaires qui dérivent de la nature des choses. » Toute loi est relative à des conditions physiques, morales, sociales, etc.

de concert sur les mêmes points, et que celles-ci ne font, pour ainsi dire, qu'assurer, accompagner, rectifier les autres. Mais si le Législateur, se trompant dans son objet, prend un principe différent de celui qui naît de la nature des choses, que l'un tende à la servitude et l'autre[1] à la liberté, l'un aux richesses l'autre à la population, l'un à la paix l'autre aux conquêtes, on verra les lois s'affaiblir insensiblement, la constitution s'altérer, et l'État ne cessera d'être agité jusqu'à ce qu'il soit détruit ou changé, et que l'invincible nature ait repris son empire.

CHAPITRE XII

DIVISION DES LOIS

Pour ordonner le tout, ou donner la meilleure forme possible à la chose publique, il y a diverses relations à considérer. Premièrement l'action du corps entier agissant sur lui-même, c'est-à-dire le rapport du tout au tout, ou du Souverain à l'État[2], et ce rapport est composé de celui des termes intermédiaires, comme nous le verrons ci-après[3].

Les lois qui règlent ce rapport portent le nom de lois politiques, et s'appellent aussi lois fondamentales, non sans quelque raison si ces lois sont sages. Car s'il n'y a dans chaque État qu'une bonne manière de l'ordonner, le peuple qui l'a trouvée doit s'y tenir : mais si l'ordre établi est mauvais, pourquoi prendrait-on pour fondamentales des lois qui l'empêchent d'être bon ? D'ailleurs, en tout état de cause, un peuple est toujours le maître de changer ses lois, même les meilleures ; car s'il lui plaît de se faire mal à lui-même, qui est-ce qui a droit de l'en empêcher[4] ?

La seconde relation est celle des membres entre eux ou avec le corps entier, et ce rapport doit être au premier égard aussi petit et au second aussi grand qu'il est possible : en sorte que chaque Citoyen soit dans une parfaite indépendance de tous les autres, et dans une excessive dépendance de la Cité ; ce qui se fait toujours par les mêmes moyens[5] ; car il n'y a que la force de l'État qui fasse la

---

1. *L'un :* le principe adopté ; *l'autre :* le principe né « de la nature des choses » ; 2. *Souverain :* actif ; *État :* passif ; 3. Livre III, chap Ier. Il s'agit du gouvernement ; 4. Il y a peu de chances pour que la volonté générale se « suicide » ainsi ; 5. L'État interviendra même dans la répartition des richesses, pour atténuer l'inégalité, nuisible à la liberté.

liberté de ses membres. C'est de ce deuxième rapport que naissent les lois civiles.

On peut considérer une troisième sorte de relation entre l'homme et la loi, savoir celle de la désobéissance à la peine, et celle-ci donne lieu à l'établissement des lois criminelles, qui dans le fond sont moins une espèce particulière de lois que la sanction de toutes les autres.

A ces trois sortes de lois il s'en joint une quatrième, la plus importante de toutes ; qui ne se grave ni sur le marbre, ni sur l'airain, mais dans les cœurs des citoyens ; qui fait la véritable constitution de l'État ; qui prend tous les jours de nouvelles forces ; qui, lorsque les autres lois vieillissent ou s'éteignent, les ranime ou les supplée, conserve un peuple dans l'esprit de son institution[1] et substitue insensiblement la force de l'habitude à celle de l'autorité. Je parle des mœurs, des coutumes, et surtout de l'opinion ; partie inconnue à nos politiques[2], mais de laquelle dépend le succès de toutes les autres : partie dont le grand Législateur s'occupe en secret, tandis qu'il paraît se borner à des règlements particuliers qui ne sont que le cintre de la voûte, dont les mœurs, plus lentes à naître, forment enfin l'inébranlable Clef.

Entre[3] ces diverses Classes, les lois politiques, qui constituent la forme du Gouvernement, sont la seule relative à mon sujet.

LIVRE III

CHAPITRE PREMIER

DU GOUVERNEMENT EN GÉNÉRAL

[...] Toute action libre a deux causes qui concourent à la produire, l'une morale, savoir la volonté qui détermine l'acte ; l'autre physique, savoir la puissance qui l'exécute. Quand je marche vers un objet, il faut premièrement que j'y veuille aller ; en second lieu, que mes pieds m'y portent. Qu'un paralytique veuille courir, qu'un homme agile ne le

---

1. *Institution :* fondation ; **2.** Du moins pas à Montesquieu, qui en traite abondamment ; **3.** *Entre :* parmi.

veuille pas, tous deux resteront en place. Le corps politique a les mêmes mobiles : on y distingue de même la force et la volonté. Celle-ci sous le nom de *puissance législative*, l'autre sous le nom de *puissance exécutive*[1]. Rien ne s'y fait ou ne doit s'y faire sans leur concours.

Nous avons vu que la puissance législative appartient au peuple, et ne peut appartenir qu'à lui. Il est aisé de voir, au contraire, par les principes ci-devant établis, que la puissance exécutive ne peut appartenir à la généralité comme Législative ou Souveraine; parce que cette puissance ne consiste qu'en des actes particuliers qui ne sont point du ressort de la loi, ni par conséquent de celui du Souverain, dont tous les actes ne peuvent être que des lois.

Il faut donc à la force publique un agent propre qui la réunisse et la mette en œuvre selon les directions de la volonté générale, qui serve à la communication de l'État et du Souverain[2], qui fasse en quelque sorte dans la personne publique ce que fait dans l'homme l'union de l'âme et du corps[3]. Voilà quelle est dans l'État la raison du Gouvernement, confondu mal à propos avec le Souverain, dont il n'est que le Ministre.

Qu'est-ce donc que le Gouvernement ? Un corps intermédiaire établi entre les sujets et le Souverain pour leur mutuelle correspondance, chargé de l'exécution des lois et du maintien de la liberté, tant civile que politique.

Les membres de ce corps s'appellent Magistrats ou *Rois*[4], c'est-à-dire *Gouverneurs* ; et le corps entier porte le nom de *Prince*[5]. Ainsi ceux qui prétendent que l'acte par lequel un peuple se soumet à des chefs n'est point un contrat ont grande raison. Ce n'est absolument qu'une commission, un emploi dans lequel, simples officiers du Souverain, ils exercent en son nom le pouvoir dont il les a faits dépositaires, et qu'il peut limiter, modifier et reprendre quand il lui plaît, l'aliénation[6] d'un tel droit étant incompatible avec la nature du corps social, et contraire au but de l'association.

J'appelle donc *Gouvernement* ou suprême administration

---

1. Rousseau les distingue, mais ne les met jamais sur le même plan, à la différence de Montesquieu; 2. C'est-à-dire du peuple en tant qu'il obéit *(Etat)* et au peuple en tant qu'il légifère *(souverain)* ; 3. Cf. p. 40, note 6; 4. Rousseau n'admet donc pas que les rois s'intitulent « souverains », mais seulement « gouverneurs »; 5. Emploi propre à Rousseau; 6. *Aliénation :* le fait de s'en dessaisir en faveur de qui que ce soit.

l'exercice légitime de la puissance exécutive, et Prince ou Magistrat, l'homme ou le corps chargé de cette administration.

C'est dans le Gouvernement que se trouvent les forces intermédiaires[1], dont les rapports composent celui du tout au tout ou du Souverain à l'État. On peut représenter ce dernier rapport par celui des extrêmes d'une proportion continue, dont la moyenne proportionnelle est le Gouvernement. Le Gouvernement reçoit du Souverain les ordres qu'il donne au peuple et, pour que l'État soit dans un bon équilibre il faut, tout compensé, qu'il y ait égalité entre le produit ou la puissance du Gouvernement pris en lui-même et le produit ou la puissance des citoyens, qui sont souverains d'un côté et sujets de l'autre[2].

De plus, on ne saurait altérer aucun des trois termes sans rompre à l'instant la proportion. Si le Souverain veut gouverner, ou si le Magistrat veut donner des lois, ou si les sujets refusent d'obéir, le désordre succède à la règle, la force et la volonté n'agissent plus de concert, et l'État dissous tombe ainsi dans le despotisme ou dans l'anarchie[3]. Enfin, comme il n'y a qu'une moyenne proportionnelle entre chaque rapport, il n'y a non plus qu'un bon gouvernement possible dans un État. Mais, comme mille événements peuvent changer les rapports[4] d'un peuple, non seulement différents Gouvernements peuvent être bons à divers peuples, mais au même peuple en différents temps.

[...] Sans nous embarrasser dans cette multiplication de termes[5], contentons-nous de considérer le Gouvernement comme un nouveau corps dans l'État, distinct du peuple et du Souverain, et intermédiaire entre l'un et l'autre.

Il y a cette différence essentielle entre ces deux corps, que l'État[6] existe par lui-même, et que le Gouvernement n'existe que par le Souverain. Ainsi la volonté dominante[7] du Prince n'est ou ne doit être que la volonté générale ou la loi ; sa force n'est que la force publique concentrée en lui :

---

1. Une hiérarchie reliant les deux pôles : souverain - État ; **2.** On pourrait donc presque écrire : $\dfrac{\text{souverain}}{\text{gouvernement}} = \dfrac{\text{gouvernement}}{\text{État}}$ ou encore : souverain $\times$ État = (gouvernement)^2 ; **3.** Cela annonce les chapitres suivants ; **4.** Les formules particulières d'équilibre ; l'opportunisme de Rousseau apparaît encore ici ; **5.** Ce passage va terminer le chapitre Ier, où nous avons coupé environ deux pages ; **6.** *État :* corps politique en général, sans distinction d'actif et passif ; **7.** Sa « ligne générale ».

sitôt qu'il veut tirer de lui-même quelque acte absolu et indépendant, la liaison du tout commence à se relâcher. S'il arrivait enfin que le Prince eût une volonté particulière plus active que celle du Souverain, et qu'il usât, pour obéir à cette volonté particulière, de la force publique qui est dans ses mains, en sorte qu'on eût, pour ainsi dire, deux Souverains[1], l'un de droit et l'autre de fait, à l'instant l'union sociale s'évanouirait, et le corps politique serait dissous[2].

Cependant pour que le corps du Gouvernement ait une existence, une vie réelle qui le distingue du corps de l'État, pour que tous ses membres puissent agir de concert et répondre à la fin pour laquelle il est institué, il lui faut un *moi* particulier, une sensibilité commune à ses membres, une force, une volonté propre qui tende à sa conservation. Cette existence particulière suppose des assemblées, des conseils, un pouvoir de délibérer, de résoudre, des droits, des titres, des privilèges qui appartiennent au Prince[3] exclusivement, et qui rendent la condition du magistrat plus honorable à proportion qu'elle est plus pénible. Les difficultés sont dans la manière d'ordonner dans le tout ce tout subalterne, de sorte qu'il n'altère point la constitution générale en affermissant la sienne, qu'il distingue toujours sa force particulière destinée à sa propre conservation de la force publique destinée à la conservation de l'État, et qu'en un mot il soit toujours prêt à sacrifier le Gouvernement au peuple[4] et non le peuple au Gouvernement.

D'ailleurs, bien que le corps artificiel du Gouvernement soit l'ouvrage d'un autre corps artificiel[5], et qu'il n'ait, en quelque sorte, qu'une vie empruntée et subordonnée, cela n'empêche pas qu'il ne puisse agir avec plus ou moins de vigueur ou de célérité, jouir, pour ainsi dire, d'une santé plus ou moins robuste. Enfin, sans s'éloigner directement du but de son institution, il peut s'en écarter plus ou moins, selon la manière dont il est constitué.

C'est de toutes ces différences que naissent les rapports divers que le Gouvernement doit avoir avec le corps de l'État, selon les rapports accidentels et particuliers[6] par

---

1. Idée contradictoire, et qui ne peut subsister, évidemment; **2.** C'est le retour à la force; comme envers un criminel lors de la peine de mort; **3.** C'est-à-dire au gouvernement; **4.** C'est-à-dire au souverain; **5.** Le souverain, personne morale, non physique, donc en partie artificielle; **6.** D'ordre physique, historique, etc.

lesquels ce même État est modifié. Car souvent le Gouvernement le meilleur en soi deviendra le plus vicieux, si ses rapports ne sont altérés[1] selon les défauts du corps politique auquel il appartient[2].

CHAPITRE II

DU PRINCIPE QUI CONSTITUE LES DIVERSES FORMES DE GOUVERNEMENT

Pour exposer la cause générale de ces différences, il faut distinguer ici le Prince[3] et le Gouvernement, comme j'ai distingué ci-devant l'État et le Souverain.

Le corps du magistrat peut être composé d'un plus grand ou moindre nombre de membres. Nous avons dit que le rapport du Souverain aux sujets était d'autant plus grand que le peuple était plus nombreux, et par une évidente analogie nous en pouvons dire autant du Gouvernement à l'égard des Magistrats.

Or, la force totale du Gouvernement, étant toujours celle de l'État, ne varie point : d'où il suit que plus il use de cette force sur ses propres membres, moins il lui en reste pour agir sur tout le peuple[4].

Donc plus les Magistrats sont nombreux, plus le Gouvernement est faible. Comme cette maxime est fondamentale, appliquons-nous à la mieux éclaircir.

Nous pouvons distinguer dans la personne du magistrat[5] trois volontés essentiellement différentes. Premièrement la volonté propre de l'individu[6], qui ne tend qu'à son avantage particulier; secondement la volonté commune des magistrats, qui se rapporte uniquement à l'avantage du Prince[7], et qu'on peut appeler volonté de corps, laquelle est générale par rapport au Gouvernement, et particulière par rapport à l'État, dont le Gouvernement fait partie; en troisième lieu la volonté du peuple ou la volonté souveraine, laquelle est générale, tant par rapport à l'État considéré comme le tout, que par rapport au Gouvernement considéré comme partie du tout.

---

1. *Altérés* : modifiés; **2.** Dans certains cas, les qualités de la loi deviennent défauts, si elles sont *inopportunes*; **3.** *Prince* : le gouvernement en tant qu'il se considère lui-même; **4.** Sa volonté se divise, donc s'affaiblit en se « gaspillant » pour sa propre conservation; **5.** Le gouvernement; **6.** C'est-à-dire de chacun des individus qui le composent; **7.** De leur collège, de leur « corps ».

3

Dans une législation parfaite, la volonté particulière ou individuelle doit être nulle, la volonté de corps propre au Gouvernement très subordonnée, et par conséquent la volonté générale ou souveraine toujours dominante et la règle unique de toutes les autres.

Selon l'ordre naturel[1], au contraire, ces différentes volontés deviennent plus actives à mesure qu'elles se concentrent. Ainsi la volonté générale est toujours la plus faible, la volonté de corps a le second rang, et la volonté particulière le premier de tous : de sorte que dans le Gouvernement chaque membre est premièrement soi-même, et puis Magistrat, et puis citoyen; gradation directement opposée à celle qu'exige l'ordre social.

Cela posé : que tout le Gouvernement soit entre les mains d'un seul homme. Voilà la volonté particulière et la volonté de corps parfaitement réunies, et par conséquent celle-ci au plus haut degré d'intensité qu'elle puisse avoir. Or, comme c'est du degré de la volonté que dépend l'usage de la force, et que la force absolue du Gouvernement ne varie point, il s'ensuit que le plus actif des Gouvernements est celui d'un seul.

Au contraire, unissons le Gouvernement à l'autorité législative; faisons le Prince du Souverain et de tous les Citoyens autant de Magistrats[2]. Alors la volonté de corps, confondue avec la volonté générale, n'aura pas plus d'activité qu'elle, et laissera la volonté particulière dans toute sa force. Ainsi le Gouvernement, toujours avec la même force absolue, sera dans son *minimum* de force relative ou d'activité.

Ces rapports sont incontestables, et d'autres considérations servent encore à les confirmer. On voit par exemple, que chaque magistrat est plus actif dans son corps que chaque citoyen dans le sien[3] et que par conséquent la volonté particulière a beaucoup plus d'influence dans les actes du Gouvernement, que dans ceux du Souverain; car chaque magistrat est presque toujours chargé de quelque fonction du Gouvernement, au lieu que chaque citoyen pris à part n'a aucune fonction de la souveraineté[4]. D'ailleurs, plus l'État s'étend, plus sa force réelle augmente, quoiqu'elle

---

1. Celui des passions, que n'annule pas l'état social; 2. C'est la démocratie; 3. C'est une société plus concentrée, et qui a pour apanage l'*action* (exécutif); 4. Les volontés particulières sont de sens souvent opposé à la volonté générale; alors qu'elles vont dans le même sens que l'« esprit de corps ».

n'augmente pas en raison de son étendue[1] : mais l'État restant le même, les magistrats ont beau se multiplier, le Gouvernement n'en acquiert pas une plus grande force réelle, parce que cette force est celle de l'État, dont la mesure est toujours égale. Ainsi la force relative ou l'activité du Gouvernement diminue, sans que sa force absolue ou réelle puisse augmenter.

Il est sûr encore que l'expédition des affaires devient plus lente à mesure que plus de gens en sont chargés, qu'en donnant trop à la prudence on ne donne pas assez à la fortune, qu'on laisse échapper l'occasion[2], et qu'à force de délibérer on perd souvent le fruit de la délibération[3]. [...]

[...] Au reste je ne parle ici que de la force relative du Gouvernement, et non de sa rectitude : car, au contraire, plus le magistrat est nombreux, plus la volonté de corps se rapproche de la volonté générale[4]; au lieu que sous un magistrat unique cette même volonté de corps n'est, comme je l'ai dit, qu'une volonté particulière. Ainsi l'on perd d'un côté ce qu'on peut gagner de l'autre, et l'art du Législateur est de savoir fixer le point où la force et la volonté du Gouvernement, toujours en proportion réciproque, se combinent dans le rapport le plus avantageux à l'État[5].

CHAPITRE III

DIVISION DES GOUVERNEMENTS

On a vu dans le chapitre précédent pourquoi l'on distingue les diverses espèces ou formes de Gouvernements par le nombre des membres qui les composent; il reste à voir dans celui-ci comment se fait cette division.

Le Souverain peut, en premier lieu, commettre le dépôt du Gouvernement à tout le peuple ou à la plus grande partie du peuple, en sorte qu'il y ait plus de citoyens magistrats que de citoyens simples particuliers. On donne à cette forme de Gouvernement le nom de *Démocratie*.

Ou bien il peut resserrer le Gouvernement entre les mains

---

1. En proportion de son étendue; **2.** Autre sorte d'opportunisme : le goût du risque (enraciné chez Rousseau); **3.** Idée qui sera aussi chez Napoléon : « On engage l'action; ensuite on délibère »; **4.** En cela, la démocratie serait « parfaite »; **5.** Notion d'équilibre. Rousseau avait eu des exemples de ces difficultés à Genève et à Venise.

d'un petit nombre, en sorte qu'il y ait plus de simples Citoyens que de magistrats ; et cette forme porte le nom d'*Aristocratie*.

Enfin, il peut concentrer tout le Gouvernement dans les mains d'un magistrat unique dont tous les autres tiennent leur pouvoir. Cette troisième forme est la plus commune, et s'appelle *Monarchie* ou Gouvernement royal.

On doit remarquer que toutes ces formes ou du moins les deux premières sont susceptibles de plus ou de moins, et ont même une assez grande latitude ; car la Démocratie peut embrasser tout le peuple ou se resserrer jusqu'à la moitié. L'Aristocratie, à son tour, peut de la moitié du peuple se resserrer jusqu'au plus petit nombre indéterminément[1]. La Royauté même est susceptible de quelque partage. Sparte eut constamment deux Rois par sa constitution ; et l'on a vu dans l'empire romain jusqu'à huit Empereurs à la fois[2] sans qu'on pût dire que l'Empire fût divisé. Ainsi il y a un point où chaque forme de Gouvernement se confond avec la suivante, et l'on voit que, sous trois seules dénominations, le Gouvernement est réellement susceptible d'autant de formes diverses que l'État a de Citoyens[3].

Il y a plus : ce même Gouvernement pouvant à certains égards se subdiviser en d'autres parties, l'une administrée d'une manière et l'autre d'une autre, il peut résulter de ces trois formes combinées une multitude de formes mixtes, dont chacune est multipliable par toutes les formes simples. On a, de tous temps, beaucoup disputé sur la meilleure forme de Gouvernement, sans considérer que chacune d'elles est la meilleure en certains cas, et la pire en d'autres.

Si dans les différents États le nombre des magistrats suprêmes doit être en raison inverse de celui des Citoyens, il s'ensuit qu'en général le Gouvernement Démocratique convient aux petits États, l'Aristocratique aux médiocres, et le Monarchique aux grands. Cette règle se tire immédiatement du principe, mais comment compter la multitude de circonstances qui peuvent fournir des exceptions[4] ?

---

1. Sans limite précise ; **2.** A partir de Dioclétien (284-305 apr. J.-C.) ; **3.** Idée inspirée d'Aristote ; **4.** Aristote et Platon *(République)* avaient établi, les premiers, des classifications des gouvernements ; nombre d'écrivains politiques (surtout au XVIe siècle), puis Montesquieu, en avaient également établi.

CHAPITRE IV

DE LA DÉMOCRATIE

Celui qui fait la loi sait mieux que personne comment elle doit être exécutée et interprétée. Il semble donc qu'on ne saurait avoir une meilleure constitution que celle où le pouvoir exécutif est joint au législatif. Mais c'est cela même qui rend ce Gouvernement insuffisant à certains égards, parce que les choses qui doivent être distinguées ne le sont pas, et que le prince et le Souverain, n'étant que la même personne, ne forment, pour ainsi dire, qu'un Gouvernement sans Gouvernement[1].

Il n'est pas bon que celui qui fait des lois les exécute[2], ni que le corps du peuple détourne son attention des vues générales pour la donner aux objets particuliers. Rien n'est plus dangereux que l'influence des intérêts privés dans les Affaires publiques, et l'abus des lois par le Gouvernement est un mal moindre que la corruption du Législateur, suite infaillible des vues particulières. Alors, l'État étant altéré dans sa substance, toute réforme devient impossible[3]. Un peuple qui n'abuserait jamais du Gouvernement n'abuserait pas non plus de l'indépendance; un peuple qui gouvernerait toujours bien n'aurait pas besoin d'être gouverné.

A prendre le terme dans la rigueur de l'acception, il n'a jamais existé de véritable Démocratie, et il n'en existera jamais. Il est contre l'ordre naturel que le grand nombre gouverne et que le petit soit gouverné. On ne peut imaginer que le peuple reste incessamment assemblé pour vaquer aux affaires publiques, et l'on voit aisément qu'il ne saurait établir pour cela des commissions[4] sans que la forme de l'administration change. [...]

D'ailleurs, que de choses difficiles à réunir ne suppose pas ce Gouvernement! Premièrement un État très petit où le peuple soit facile à rassembler et où chaque citoyen puisse aisément connaître tous les autres; secondement, une grande simplicité de mœurs qui prévienne la multitude d'affaires et les discussions épineuses; ensuite beaucoup d'égalité dans les rangs et dans les fortunes, sans quoi

1. Une manière de gouverner, sans corps spécial de gouvernement; 2. C'est-à-dire : en assure l'exécution; 3. Car la volonté générale n'est plus elle-même; 4. *Commissions* : délégations, représentants (cf. plus loin chap. XV).

l'égalité ne saurait subsister longtemps dans les droits et l'autorité; enfin peu ou point de luxe, car ou le luxe est l'effet des richesses, ou il les rend nécessaires; il corrompt à la fois le riche et le pauvre, l'un par la possession, l'autre par la convoitise; il vend la patrie à la mollesse, à la vanité; il ôte à l'État tous ses citoyens pour les asservir les uns aux autres, et tous à l'opinion[1].

Voilà pourquoi un auteur célèbre[2] a donné la vertu pour principe à la République, car toutes ces conditions ne sauraient subsister sans la vertu; mais, faute d'avoir fait les distinctions nécessaires, ce beau génie a manqué souvent de justesse, quelquefois de clarté, et n'a pas vu que l'autorité Souveraine étant partout la même, le même principe doit avoir lieu dans tout État bien constitué, plus ou moins, il est vrai, selon la forme du Gouvernement.

Ajoutons qu'il n'y a pas de Gouvernement si sujet aux guerres civiles et aux agitations intestines que le Démocratique ou populaire, parce qu'il n'y en a aucun qui tende si fortement et si continuellement à changer de forme, ni qui demande plus de vigilance et de courage pour être maintenu dans la sienne[3]. C'est surtout dans cette constitution que le Citoyen doit s'armer de force et de constance, et dire chaque jour de sa vie au fond de son cœur ce que disait un vertueux Palatin[4], dans la diète de Pologne : *Malo periculosam libertatem quam quietum servitium*[5].

S'il y avait un peuple de Dieux, il se gouvernerait démocratiquement. Un Gouvernement si parfait ne convient pas à des hommes[6].

CHAPITRE V

DE L'ARISTOCRATIE

Nous avons ici deux personnes morales très distinctes, savoir le Gouvernement et le Souverain, et par conséquent deux volontés générales[7], l'une par rapport à tous les

---

1. Cf. les *Discours*. A ces idées s'opposent celles de Voltaire; 2. Montesquieu; 3. Cf. Platon. La démocratie dégénère vite en tyrannie; 4. « Le palatin de Posnanie, père du roi de Pologne, duc de Lorraine » (note de Rousseau); 5. « Je préfère une liberté périlleuse à une paisible servitude »; 6. Phrase fameuse, et qui surprend. Rousseau croit peu à une démocratie actuelle qui serait parfaite. Or, une démocratie imparfaite est, a-t-il dit, prête à mener à la tyrannie; 7. Cf. livre III, chap. II.

citoyens, l'autre seulement pour les membres de l'administration. Ainsi, bien que le Gouvernement puisse régler sa police intérieure comme il lui plaît, il ne peut jamais parler au peuple qu'au nom du Souverain, c'est-à-dire au nom du peuple même; ce qu'il ne faut jamais oublier.

Les premières sociétés se gouvernèrent aristocratiquement. Les chefs des familles délibéraient entre eux des affaires publiques. Les jeunes gens cédaient sans peine à l'autorité de l'expérience. De là les noms de *Prêtres*, d'*Anciens*, de *Sénat*[1], de *Gérontes*[2]. Les sauvages de l'Amérique septentrionale se gouvernent encore ainsi de nos jours, et sont très bien gouvernés.

Mais, à mesure que l'inégalité d'institution[3] l'emporta sur l'inégalité naturelle, la richesse ou la puissance fut préférée à l'âge, et l'Aristocratie devint élective[4]. Enfin la puissance transmise avec les biens du père aux enfants rendant les familles patriciennes, rendit le Gouvernement héréditaire, et l'on vit des Sénateurs de vingt ans.

Il y a donc trois sortes d'Aristocratie : naturelle, élective, héréditaire. La première ne convient qu'à des peuples simples; la troisième est le pire de tous les gouvernements. La deuxième est le meilleur : c'est l'Aristocratie proprement dite.

Outre l'avantage de la distinction des deux pouvoirs, elle a celui du choix de ses membres; car dans le Gouvernement populaire tous les Citoyens naissent magistrats, mais celui-ci les borne à un petit nombre, et ils ne le deviennent que par élection : moyen par lequel la probité, les lumières, l'expérience, et toutes les autres raisons de préférence et d'estime publique, sont autant de nouveaux garants qu'on sera sagement gouverné.

De plus, les assemblées se font plus commodément, les affaires se discutent mieux, s'expédient avec plus d'ordre et de diligence, le crédit de l'État est mieux soutenu chez l'étranger par de vénérables Sénateurs que par une multitude inconnue ou méprisée.

En un mot, c'est l'ordre le meilleur et le plus naturel que les plus sages gouvernent la multitude, quand on est sûr qu'ils la gouverneront pour son profit et non pour le leur; il ne faut point multiplier en vain les ressorts, ni faire avec

---

1. Du latin *senex*, vieillard; **2.** Du grec *gerôn*, vieillard; **3.** C'est-à-dire : de situation sociale; **4.** Par *choix*, et non plus naturelle.

vingt mille hommes ce que cent hommes choisis peuvent faire encore mieux. Mais il faut remarquer que l'intérêt de corps commence à moins diriger ici la force publique sur la règle de la volonté générale, et qu'une autre pente inévitable[1] enlève aux lois une partie de la puissance exécutive. [...]

Mais si l'Aristocratie exige quelques vertus de moins que le Gouvernement populaire, elle en exige aussi d'autres qui lui sont propres; comme la modération dans les riches, et le contentement[2] dans les pauvres; car il semble qu'une égalité rigoureuse y serait déplacée; elle ne fut pas même observée à Sparte.

Au reste, si cette forme comporte une certaine inégalité de fortune, c'est bien pour qu'en général l'administration des affaires publiques soit confiée à ceux qui peuvent le mieux y donner tout leur temps, mais non pas, comme prétend Aristote, pour que les riches soient toujours préférés. Au contraire, il importe qu'un choix opposé[3] apprenne quelquefois au peuple qu'il y a dans le mérite des hommes des raisons de préférence plus importantes que la richesse.

CHAPITRE VI

DE LA MONARCHIE

Jusqu'ici nous avons considéré le Prince comme une personne morale et collective, unie par la force des lois et dépositaire dans l'État de la puissance exécutive. Nous avons maintenant à considérer cette puissance réunie entre les mains d'une personne naturelle, d'un homme réel, qui seul ait droit d'en disposer selon les lois. C'est ce qu'on appelle un Monarque ou un Roi.

Tout au contraire des autres administrations où un être collectif représente un individu[4], dans celle-ci un individu représente un être collectif[5]; en sorte que l'unité morale qui constitue le Prince est en même temps une unité physique, dans laquelle toutes les facultés que la loi réunit dans l'autre avec tant d'efforts se trouvent naturellement réunies.

---

1. Celle des volontés particulières; 2. L'aptitude à se contenter du peu qu'ils ont; 3. L'élection de magistrats pauvres. Cf. aussi Montesquieu; 4. C'est-à-dire : agit d'un commun accord; 5. Tout un collège de magistrats.

Ainsi la volonté du peuple, et la volonté du Prince, et la force publique de l'État, et la force particulière du Gouvernement, tout répond au même mobile, tous les ressorts de la machine sont dans la même main, tout marche au même but; il n'y a point de mouvements opposés qui s'entre-détruisent, et l'on ne peut imaginer aucune sorte de constitution dans laquelle un moindre effort produise une action plus considérable[1]. Archimède assis tranquillement sur le rivage et tirant sans peine à flot un grand Vaisseau, me représente un monarque habile gouvernant de son cabinet ses vastes États, et faisant tout mouvoir en paraissant immobile.

Mais s'il n'y a point de Gouvernement qui ait plus de vigueur, il n'y en a point où la volonté particulière ait plus d'empire et domine plus aisément les autres[2], tout marche au même but, il est vrai; mais ce but n'est point celui de la félicité publique[3], et la force même de l'Administration[4] tourne sans cesse au préjudice de l'État.

Les Rois veulent être absolus, et de loin on leur crie que le meilleur moyen de l'être est de se faire aimer de leurs peuples. Cette maxime est très belle, et même très vraie à certains égards. Malheureusement on s'en moquera toujours dans les Cours. La puissance qui vient de l'amour des peuples est sans doute la plus grande; mais elle est précaire et conditionnelle, jamais les Princes ne s'en contenteront. Les meilleurs Rois veulent pouvoir être méchants s'il leur plaît, sans cesser d'être les maîtres. Un sermonneur politique aura beau leur dire que la force du peuple étant la leur, leur plus grand intérêt est que le peuple soit florissant, nombreux, redoutable. Ils savent très bien que cela n'est pas vrai. Leur intérêt personnel est premièrement que le Peuple soit faible, misérable, et qu'il ne puisse jamais leur résister. J'avoue que, supposant les sujets toujours parfaitement soumis, l'intérêt du Prince serait alors que le peuple fût puissant, afin que cette puissance étant sienne le rendît redoutable à ses voisins; mais comme cet intérêt n'est que secondaire et subordonné, et que les deux suppositions sont incompatibles, il est naturel que les Princes donnent la préférence à la maxime qui leur est le plus immédiatement

---

1. C'est le maximum d' « efficience »; 2. C'est le minimum de rectitude; 3. Brusque revirement. Rousseau passe à la critique violente des monarchies existantes, défectueuses; 4. Le monarque et ses sous-ordres.

utile. C'est ce que Samuel représentait fortement aux Hébreux[1] : c'est ce que Machiavel a fait voir avec évidence[2]. En feignant de donner des leçons aux Rois il en a donné de grandes aux peuples. *Le Prince* de Machiavel est le livre des républicains.

Un défaut essentiel et inévitable, qui mettra toujours le gouvernement monarchique au-dessous du républicain, est que dans celui-ci la voix publique n'élève presque jamais aux premières places que des hommes éclairés et capables, qui les remplissent avec honneur; au lieu que ceux qui parviennent dans les monarchies ne sont le plus souvent que de petits brouillons, de petits fripons, de petits intrigants, à qui les petits talents qui font dans les Cours parvenir aux grandes places, ne servent qu'à montrer au public leur ineptie[3] aussitôt qu'ils y sont parvenus. Le peuple se trompe bien moins sur ce choix que le Prince, et un homme d'un vrai mérite est presque aussi rare dans le ministère[4] qu'un sot à la tête d'un gouvernement républicain. Aussi, quand par quelque heureux hasard un de ces hommes nés pour gouverner prend le timon des affaires dans une monarchie presque abîmée par ces tas de jolis régisseurs, on est tout surpris des ressources qu'il trouve, et cela fait époque dans un pays[5]. [...]

Tout concourt à priver de justice et de raison un homme élevé pour commander aux autres. On prend beaucoup de peine, à ce qu'on dit, pour enseigner aux jeunes Princes l'art de régner : il ne paraît pas que cette éducation leur profite. On ferait mieux de commencer par leur enseigner l'art d'obéir[6]. Les plus grands rois qu'ait célébrés l'histoire n'ont point été élevés pour régner; c'est une science qu'on ne possède jamais moins qu'après l'avoir trop apprise, et qu'on acquiert mieux en obéissant qu'en commandant. [...]

Mais si, selon Platon[7], le roi par nature est un personnage si rare, combien de fois la nature et la fortune concourront-elles à le couronner, et si l'éducation royale corrompt nécessairement ceux qui la reçoivent, que doit-on espérer

1. Dans les Rois (livre Ier), Samuel prédit aux Hébreux les excès des rois et les malheurs du peuple; 2. *Machiavel* (1469-1527), célèbre écrivain politique florentin. Il fit dans son livre *le Prince* (1513) une peinture de César Borgia comme modèle du politique et exposa, ce faisant, la nature et les conditions de naissance, d'existence et de décadence des États monarchiques. Rousseau y recourt souvent, mais l'interprète de façon discutable; 3. *Ineptie* : inaptitude, et sottise; 4. Du roi; 5. Compliment fait à Choiseul, alors premier ministre; 6. On retrouve ici le pédagogue de l'*Emile* ; 7. Dans *le Politique*.

d'une suite[1] d'hommes élevés pour régner? C'est donc bien vouloir s'abuser que de confondre le Gouvernement royal avec celui d'un bon Roi. Pour voir ce qu'est ce Gouvernement en lui-même, il faut le considérer sous des Princes bornés ou méchants; car ils arriveront tels au Trône, ou le Trône les rendra tels[2].

Ces difficultés n'ont pas échappé à nos Auteurs[3], mais ils n'en sont point embarrassés. Le remède est, disent-ils, d'obéir sans murmure. Dieu donne les mauvais Rois dans sa colère, et il faut les supporter comme des châtiments du Ciel. Ce discours est édifiant, sans doute; mais je ne sais s'il ne conviendrait pas mieux en chaire que dans un livre de politique. Que dire d'un Médecin qui promet des miracles, et dont tout l'art est d'exhorter son malade à la patience? On sait bien qu'il faut souffrir un mauvais Gouvernement quand on l'a; la question serait d'en trouver un bon.

CHAPITRE VII

DES GOUVERNEMENTS MIXTES

A proprement parler il n'y a point de Gouvernement simple. Il faut qu'un Chef unique ait des magistrats subalternes; il faut qu'un Gouvernement populaire ait un Chef[4]. Ainsi, dans le partage de la puissance exécutive, il y a toujours gradation du grand nombre au moindre, avec cette différence que tantôt le grand nombre dépend du petit, et tantôt le petit du grand.

Quelquefois il y a partage égal, soit quand les parties constitutives sont dans une dépendance mutuelle, comme dans le Gouvernement d'Angleterre[5], soit quand l'autorité de chaque partie est indépendante mais imparfaite, comme en Pologne[6]. Cette dernière forme est mauvaise, parce qu'il n'y a point d'unité dans le gouvernement, et que l'État manque de liaison.

Lequel vaut le mieux, d'un Gouvernement simple ou d'un Gouvernement mixte? Question fort agitée chez les poli-

---

1. Dynastie; **2.** Pessimisme de Rousseau. Il n'est plus question d'une monarchie légitime, bonne et « républicaine » comme plus haut; **3.** Allusion à Bossuet, défenseur des rois de droit divin (cf. Notice); **4.** Un chef désigné par le peuple, et non un « souverain »; **5.** Entre la Chambre des lords, la Chambre des communes et le roi; **6.** Rousseau est l'auteur de *Considérations sur le gouvernement de Pologne*.

tiques, et à laquelle il faut faire la même réponse que j'ai faite ci-devant sur toute forme de Gouvernement[1].

Le Gouvernement simple est le meilleur en soi, par cela seul qu'il est simple. Mais quand la puissance exécutive ne dépend pas assez de la législative, c'est-à-dire, quand il y a plus de rapport du Prince au Souverain que du peuple au Prince[2], il faut remédier à ce défaut de proportion en divisant le Gouvernement; car alors toutes ses parties n'ont pas moins d'autorité sur les sujets, et leur division les rend toutes ensemble moins fortes contre le Souverain.

On prévient encore le même inconvénient en établissant des magistrats intermédiaires qui, laissant le Gouvernement en son entier, servent seulement à balancer les deux puissances et à maintenir leurs droits respectifs. Alors le Gouvernement n'est pas mixte, il est tempéré[3].

On peut remédier par des moyens semblables à l'inconvénient opposé et, quand le Gouvernement est trop lâche, ériger des Tribunaux[4] pour le concentrer : cela se pratique dans toutes les Démocraties. Dans le premier cas, on divise le Gouvernement pour l'affaiblir, et dans le second, pour le renforcer; car les *maximum* de force et de faiblesse se trouvent également dans les Gouvernements simples, au lieu que les formes mixtes donnent une force moyenne.

CHAPITRE VIII

QUE TOUTE FORME DE GOUVERNEMENT
N'EST PAS PROPRE À TOUT PAYS[5]

[...] Considérez, outre cela, que la même quantité d'hommes consomme beaucoup moins dans les pays chauds. Le climat demande qu'on y soit sobre pour se porter bien : les Européens qui veulent y vivre comme chez eux périssent tous de dysenterie et d'indigestions. « Nous sommes, dit Chardin[6], des bêtes carnassières, des loups, en comparaison

1. Cf. livre III, chap. IV; 2. Quand le prince pèse plus sur les sujets (peuple) que le souverain ne pèse sur le prince (magistrat), [cf. livre III, chap. Ier]; 3. Il s'agit seulement de l'addition de quelques magistrats (par exemple les tribuns, à Rome) [cf. livre IV, chap. V]; 4. Ce qui avait été fait à Genève; 5. Ici commence un long chapitre, inspiré de *l'Esprit des lois*; nous en donnons quelques pages en raison de leur pittoresque, et la fin en entier; 6. *Chardin* (1643-1713) publia, en 1711, une relation de son *Voyage en Perse*, qui eut un succès considérable.

des Asiatiques. Quelques-uns attribuent la sobriété des Persans à ce que leur pays est moins cultivé, et moi je crois au contraire que leur pays abonde moins en denrées parce qu'il en faut moins aux habitants. Si leur frugalité, continue-t-il, était un effet de la disette du pays, il n'y aurait que les pauvres qui mangeraient peu, au lieu que c'est généralement tout le monde, et on mangerait plus ou moins en chaque province selon la fertilité du pays, au lieu que la même sobriété se trouve par tout le royaume. Ils se louent fort de leur manière de vivre, disant qu'il ne faut que regarder leur teint pour reconnaître combien elle est plus excellente que celle des chrétiens. En effet le teint des Persans est uni; ils ont la peau belle, fine et polie, au lieu que le teint des Arméniens leurs sujets, qui vivent à l'Européenne, est rude, couperosé, et que leurs corps sont gros et pesants. »

Plus on approche de la ligne[1], plus les peuples vivent de peu. Ils ne mangent presque pas de viande; le riz, le maïs, le couscous, le mil, la cassave, sont leurs aliments ordinaires. Il y a aux Indes des millions d'hommes dont la nourriture ne coûte pas un sol par jour. Nous voyons en Europe même des différences sensibles pour l'appétit entre les peuples du nord et ceux du midi. Un Espagnol vivra huit jours du dîner d'un Allemand. Dans les pays où les hommes sont plus voraces le luxe se tourne aussi vers les choses de consommation. En Angleterre, il se montre sur une table chargée de viandes; en Italie on vous régale de sucre et de fleurs.

Le luxe des vêtements offre encore de semblables différences. Dans les climats où les changements de saisons sont prompts et violents, on a des habits meilleurs[2] et plus simples, dans ceux où l'on ne s'habille que pour la parure on y cherche plus d'éclat que d'utilité, les habits eux-mêmes y sont un luxe. A Naples vous verrez tous les jours se promener au Pausilippe des hommes en veste dorée et point de bas. C'est la même chose pour les bâtiments : on donne tout à la magnificence quand on n'a rien à craindre des injures de l'air. A Paris, à Londres, on veut être logé chaudement et commodément. A Madrid on a des salons superbes, mais point de fenêtres qui ferment; et l'on couche dans des nids à rats. [...]

A toutes ces différentes considérations j'en puis ajouter

---

1. L'équateur; 2. Plus confortables.

une qui en découle et qui les fortifie : c'est que les pays chauds ont moins besoin d'habitants que les pays froids, et pourraient en nourrir davantage ; ce qui produit un double superflu toujours à l'avantage du despotisme. Plus le même nombre d'habitants occupe une grande surface, plus les révoltes deviennent difficiles ; parce qu'on ne peut se concerter ni promptement, ni secrètement, et qu'il est toujours facile au Gouvernement d'éventer les projets et de couper les communications ; mais plus un peuple nombreux se rapproche[1], moins le Gouvernement peut usurper sur le Souverain : les chefs[2] délibèrent aussi sûrement dans leur chambre que le Prince dans son conseil, et la foule s'assemble aussi tôt dans les places que les troupes dans leurs quartiers. L'avantage d'un Gouvernement tyrannique est donc en ceci d'agir à grandes distances. A l'aide des points d'appui qu'il se donne sa force augmente au loin comme celle des leviers. Celle du peuple au contraire n'agit que concentrée, elle s'évapore et se perd en s'étendant, comme l'effet de la poudre éparse à terre et qui ne prend feu que grain à grain. Les pays les moins peuplés sont ainsi les plus propres à la tyrannie : les bêtes féroces ne règnent que dans les déserts.

CHAPITRE IX

DES SIGNES D'UN BON GOUVERNEMENT

Quand donc on demande absolument quel est le meilleur Gouvernement, on fait une question insoluble comme indéterminée[3], ou si l'on veut, elle a autant de bonnes solutions qu'il y a de combinaisons possibles dans les positions absolues et relatives des peuples.

Mais si l'on demandait à quel signe on peut connaître qu'un peuple donné est bien ou mal gouverné, ce serait autre chose, et la question de fait pourrait se résoudre[4].

Cependant on ne la résout point, parce que chacun veut la résoudre à sa manière. Les sujets vantent la tranquillité publique, les Citoyens[5], la liberté des particuliers ; l'un préfère la sûreté des possessions, et l'autre celle des personnes ; l'un veut que le meilleur Gouvernement soit le

1. C'est-à-dire : s'unit ; 2. Du peuple en insurrection ; 3. Trop vague, abstraite ; 4. C'est un problème concret, un cas ; 5. *Sujets* = passifs, *citoyens* = actifs.

plus sévère, l'autre soutient que c'est le plus doux; celui-ci veut qu'on punisse les crimes, et celui-là qu'on les prévienne; l'un trouve beau qu'on soit craint des voisins, l'autre aime mieux qu'on en soit ignoré; l'un est content quand l'argent circule, l'autre exige que le peuple ait du pain. Quand même on conviendrait sur ces points et d'autres semblables, en serait-on plus avancé? Les quantités morales manquant de mesure précise, fût-on d'accord sur le signe, comment l'être sur l'estimation?

Pour moi, je m'étonne toujours qu'on méconnaisse un signe aussi simple, ou qu'on ait la mauvaise foi de n'en pas convenir. Quelle est la fin de l'association politique? C'est la conservation et la prospérité de ses membres. Et quel est le signe le plus sûr qu'ils se conservent et prospèrent? C'est leur nombre et leur population. N'allez donc pas chercher ailleurs ce signe si disputé[1]. Toute chose d'ailleurs égale, le Gouvernement sous lequel, sans moyens étrangers, sans naturalisations, sans colonies, les Citoyens peuplent et multiplient davantage, est infailliblement le meilleur : celui sous lequel un peuple diminue et dépérit est le pire. Calculateurs, c'est maintenant votre affaire; comptez, mesurez, comparez[2].

CHAPITRE X

DE L'ABUS DU GOUVERNEMENT, ET DE SA PENTE À DÉGÉNÉRER

Comme la volonté particulière agit sans cesse contre la volonté générale, ainsi le Gouvernement fait un effort[3] continuel contre la Souveraineté. Plus cet effort augmente, plus la constitution s'altère, et comme il n'y a point ici d'autre volonté de corps, qui résistant à celle du Prince, fasse équilibre avec elle, il doit[4] arriver tôt ou tard que le Prince opprime enfin le Souverain et rompe le traité social. C'est là le vice inhérent et inévitable qui dès la naissance du corps politique tend sans relâche à le détruire, de même

---

1. *Disputé :* discuté; 2. « On y doit juger sur le même principe des siècles qui méritent la préférence pour la prospérité du genre humain. On a trop admiré ceux où on a vu fleurir les lettres et les arts, sans pénétrer l'objet secret de leur culture, sans en considérer le funeste effet » (note de Rousseau); 3. Exerce une poussée, presque à son insu, par nature; 4. Vue « fataliste » de l'histoire, qui se rapproche de la théorie des cycles et du dépérissement fatal des civilisations chez Nietzsche et Spengler.

que la vieillesse et la mort détruisent enfin le corps de l'homme.

Il y a deux voies générales par lesquelles un gouvernement dégénère : savoir, quand il se resserre, ou quand l'État se dissout.

Le gouvernement se resserre quand il passe du grand nombre au petit, c'est-à-dire de la Démocratie à l'Aristocratie, et de l'Aristocratie à la Royauté. C'est là son inclinaison naturelle[1]. S'il rétrogradait du petit nombre au grand, on pourrait dire qu'il se relâche, mais ce progrès inverse est impossible.

En effet, jamais le gouvernement ne change de forme que quand son ressort usé le laisse trop affaibli pour pouvoir conserver la sienne. Or, s'il se relâchait encore en s'étendant, sa force deviendrait tout à fait nulle, et il subsisterait encore moins. Il faut donc remonter et serrer le ressort à mesure qu'il cède[2], autrement l'État qu'il soutient tomberait en ruine.

Le cas de la dissolution de l'État peut arriver de deux manières.

Premièrement, quand le Prince n'administre plus l'État selon les lois et qu'il usurpe le pouvoir souverain[3]. Alors il se fait un changement remarquable; c'est que, non pas le Gouvernement, mais l'État se resserre : je veux dire que le grand État se dissout et qu'il s'en forme un autre dans celui-là, composé seulement des membres du Gouvernement, et qui n'est plus rien au reste du Peuple que son maître et son tyran[4]. De sorte qu'à l'instant que le Gouvernement usurpe la souveraineté, le pacte social est rompu; et tous les simples Citoyens, rentrés de droit dans leur liberté naturelle, sont forcés mais non pas obligés d'obéir. [...]

Quand l'État se dissout, l'abus du Gouvernement quel qu'il soit prend le nom commun d'*anarchie*[5]. En distinguant, la Démocratie dégénère en *Ochlocratie*[6], l'Aristocratie en *Oligarchie*[7], j'ajouterais que la Royauté dégénère en *Tyrannie*, mais ce dernier mot est équivoque et demande explication.

---

1. Son inclination, sa « pente »; **2.** Pour « rénover l'esprit de corps » (M. Halbwachs); **3.** En substituant sa propre volonté à la volonté générale qu'il devait suivre; **4.** Il y a alors deux souverains, donc deux peuples l'un dans l'autre, donc un état de guerre civile, qui autorise l'insurrection. Noter la virulence de tous ces passages « révolutionnaires » où les « cas d'insurrection » sont énumérés et analysés avec une sourde passion; **5.** *Anarchie* : de *a* privatif et *archia* : gouvernement; **6.** De *ochlos*, populace; **7.** De *oligoi*, peu nombreux.

Dans le sens vulgaire un Tyran est un Roi qui gouverne avec violence et sans égard à la justice et aux lois. Dans le sens précis un Tyran est un particulier qui s'arroge l'autorité royale sans y avoir droit. C'est ainsi que les Grecs entendaient ce mot de Tyran : ils le donnaient indifféremment aux bons et aux mauvais Princes dont l'autorité n'était pas légitime. Ainsi *Tyran* et *usurpateur* sont deux mots parfaitement synonymes.

Pour donner différents noms à différentes choses, j'appelle *Tyran* l'usurpateur de l'autorité royale, et *Despote* l'usurpateur du pouvoir Souverain. Le Tyran est celui qui s'ingère[1] contre les lois à gouverner selon les lois ; le Despote est celui qui se met au-dessus des lois mêmes. Ainsi le Tyran peut n'être pas Despote mais le Despote est toujours Tyran[2].

CHAPITRE XI

DE LA MORT DU CORPS POLITIQUE

Telle est la pente naturelle et inévitable des Gouvernements les mieux constitués. Si Sparte et Rome ont péri, quel État peut espérer de durer toujours ? Si nous voulons former un établissement durable, ne songeons donc point à le rendre éternel. Pour réussir il ne faut pas tenter l'impossible, ni se flatter de donner à l'ouvrage des hommes une solidité que les choses humaines ne comportent pas[3].

Le corps politique, aussi bien que le corps de l'homme, commence à mourir dès sa naissance et porte en lui-même les causes de sa destruction. Mais l'un et l'autre peut avoir une constitution plus ou moins robuste et propre à le conserver plus ou moins longtemps. La constitution de l'homme est l'ouvrage de la nature ; celle de l'État est l'ouvrage de l'art. Il ne dépend pas des hommes de prolonger leur vie, il dépend d'eux de prolonger celle de l'Etat aussi loin qu'il est possible, en lui donnant la meilleure constitution qu'il puisse avoir. Le mieux constitué finira, mais plus tard qu'un autre, si nul accident imprévu[4] n'amène sa perte avant le temps.

---

1. *S'ingérer à :* se permettre de ; 2. Distinction précieuse : le tyran est moins vil que le despote ; il respecte encore en partie les lois ; il cherche à « justifier la force » ; 3. Cf. p. 79, note 2 ; 4. Par exemple, une guerre extérieure.

Le principe de la vie politique est dans l'autorité Souveraine. La puissance législative est le cœur de l'État, la puissance exécutive en est le cerveau, qui donne le mouvement à toutes les parties. Le cerveau peut tomber en paralysie et l'individu vivre encore. Un homme reste imbécile[1] et vit ; mais sitôt que le cœur a cessé ses fonctions, l'animal est mort.

Ce n'est point par les lois que l'État subsiste, c'est par le pouvoir législatif[2]. La loi d'hier n'oblige pas aujourd'hui, mais le consentement tacite est présumé du silence[3] : le souverain est censé confirmer incessamment les lois qu'il n'abroge pas, pouvant le faire. Tout ce qu'il a déclaré vouloir une fois il le veut toujours, à moins qu'il ne le révoque[4].

Pourquoi donc porte-t-on tant de respect aux anciennes lois ? C'est pour cela même. On doit croire qu'il n'y a que l'excellence des volontés antiques qui les ait pu conserver si longtemps : si le Souverain ne les eût reconnues constamment salutaires, il les eût mille fois révoquées. Voilà pourquoi, loin de s'affaiblir, les lois acquièrent sans cesse une force nouvelle dans tout État bien constitué ; le préjugé de l'antiquité les rend chaque jour plus vénérables : au lieu que partout où les lois s'affaiblissent en vieillissant, cela prouve qu'il n'y a plus de pouvoir législatif, et que l'État ne vit plus[5].

CHAPITRE XII

COMMENT SE MAINTIENT L'AUTORITÉ SOUVERAINE

Le Souverain n'ayant d'autre force que la puissance législative n'agit que par des lois ; et les lois n'étant que des actes authentiques de la volonté générale, le Souverain ne saurait agir que quand le peuple est assemblé. Le peuple assemblé, dira-t-on ! Quelle chimère ! C'est une chimère aujourd'hui, mais ce n'en était pas une il y a deux mille ans. Les hommes ont-ils changé de nature ?

---

1. Ici au sens classique : « infirme, faible » et au sens moderne : « idiot » ; **2.** Qui est un « potentiel » de lois. Ici encore, Rousseau oppose, comme le fera Bergson, les sociétés figées, sclérosées par l'habitude, aux lois vivantes, en perpétuel « devenir » ; **3.** C'est le proverbe : « Qui ne dit mot consent » ; **4.** Cf. livre II, chap. Ier *(fin)* ; **5.** Les lois doivent être, selon Rousseau, vie et passion (cf. Notice). Cf. Montesquieu : « Il n'y a rien de si puissant qu'une république où l'on observe les lois [...] par passion, comme furent Rome et Lacédémone » (*Considérations sur la grandeur et la décadence des Romains*, IV).

Les bornes du possible dans les choses morales sont moins étroites que nous ne pensons. Ce sont nos faiblesses, nos vices, nos préjugés, qui les rétrécissent. Les âmes basses ne croient point aux grands hommes : de vils esclaves sourient d'un air moqueur à ce mot de liberté.

Par ce qui s'est fait, considérons ce qui se peut faire. Je ne parlerai pas des anciennes républiques de la Grèce; mais la République romaine était, ce me semble, un grand État, et la ville de Rome une grande ville. Le dernier Cens donna dans Rome quatre cent mille Citoyens portant armes, et le dernier dénombrement de l'Empire plus de quatre millions de Citoyens sans compter les sujets, les étrangers, les femmes, les enfants, les esclaves.

Quelle difficulté n'imaginerait-on pas d'assembler fréquemment le peuple immense de cette capitale et de ses environs! Cependant, il se passait peu de semaines que le peuple romain ne fût assemblé, et même plusieurs fois. Non seulement il exerçait les droits de la souveraineté, mais une partie de ceux du Gouvernement. Il traitait certaines affaires, il jugeait certaines causes, et tout ce peuple était sur la place publique presque aussi souvent magistrat que Citoyen[1].

En remontant aux premiers temps des Nations on trouverait que la plupart des anciens gouvernements, même monarchiques tels que ceux des Macédoniens et des Francs, avaient de semblables Conseils. Quoi qu'il en soit, ce seul fait incontestable répond à toutes les difficultés. De l'existant au possible la conséquence me paraît bonne[2].

CHAPITRE XIII

. . . .

CHAPITRE XIV[3]

A l'instant que le Peuple est légitimement assemblé en corps Souverain, toute juridiction du Gouvernement cesse; la puissance exécutive est suspendue, et la personne du

---

1. Cela a été discuté par Montesquieu, surtout en ce qui concerne la république romaine et l'époque des factions; **2.** Ce qui a été peut encore être (raisonnement assez douteux); **3.** Ce chapitre, comme le précédent, ne porte aucun titre particulier; Rousseau y poursuit les considérations commencées au chapitre XII.

dernier Citoyen est aussi sacrée et inviolable que celle du premier Magistrat, parce qu'où se trouve le Représenté, il n'y a plus de Représentant[1]. La plupart des tumultes qui s'élevèrent à Rome dans les comices vinrent d'avoir ignoré ou négligé cette règle. Les Consuls alors n'étaient que les Présidents du Peuple, les Tribuns, de simples Orateurs[2], le Sénat n'était rien du tout.

Ces intervalles de suspension où le Prince[3] reconnaît ou doit reconnaître un supérieur actuel, lui ont toujours été redoutables; et ces assemblées du peuple, qui sont l'égide[4] du corps politique et le frein du Gouvernement, ont été de tout temps l'horreur des chefs : aussi n'épargnent-ils jamais ni soins, ni objections, ni difficultés, ni promesses, pour en rebuter[5] les citoyens. Quand ceux-ci sont avares, lâches, pusillanimes, plus amoureux du repos que de la liberté, ils ne tiennent pas longtemps contre les efforts redoublés du Gouvernement : c'est ainsi que, la force résistante[6] augmentant sans cesse, l'autorité Souveraine s'évanouit à la fin, et que la plupart des cités tombent et périssent avant le temps[7].

Mais entre l'autorité Souveraine et le Gouvernement arbitraire, il s'introduit quelquefois un pouvoir moyen dont il faut parler.

CHAPITRE XV

DES DÉPUTÉS OU REPRÉSENTANTS

Sitôt que le service public[8] cesse d'être la principale affaire des Citoyens, et qu'ils aiment mieux servir de leur bourse que de leur personne, l'État est déjà près de sa ruine. Faut-il marcher au combat? ils payent des troupes et restent chez eux; faut-il aller au Conseil? ils nomment des députés et restent chez eux. A force de paresse et d'argent ils ont enfin des soldats pour asservir la patrie et des représentants pour la vendre. [...]

---

1. « Les membres de l'exécutif ne sont que des délégués, et quand le législatif est assemblé, leur délégation est suspendue » (M. Halbwachs); 2. « A peu près selon le sens qu'on donne à ce nom dans le Parlement d'Angleterre » (note de Rousseau; allusion au « speaker »; 3. Le pouvoir exécutif; 4. *L'égide* : la garantie; 5. C'est-à-dire : en détourner; 6. La *force résistante* du gouvernement; 7. *Avant le temps* naturel et fatal de leur mort; 8. L'exercice du pouvoir législatif.

Sitôt que quelqu'un dit des affaires de l'État, *que m'importe ?* on doit compter que l'État est perdu.

L'attiédissement de l'amour de la patrie, l'activité de l'intérêt privé, l'immensité des États, les conquêtes, l'abus du Gouvernement ont fait imaginer la voie[1] des Députés ou Représentants du peuple dans les assemblées de la Nation. C'est ce qu'en certains pays on ose appeler le Tiers État. Ainsi l'intérêt particulier de deux ordres[2] est mis au premier et second rang ; l'intérêt public[3] n'est qu'au troisième.

La Souveraineté ne peut être représentée par la même raison qu'elle ne peut être aliénée[4] ; elle consiste essentiellement dans la volonté générale, et la volonté ne se représente point : elle est la même, ou elle est autre ; il n'y a point de milieu. Les députés du peuple ne sont donc ni ne peuvent être ses représentants, ils ne sont que ses commissaires[5] ; ils ne peuvent rien conclure définitivement. Toute loi que le Peuple en personne n'a pas ratifiée est nulle ; ce n'est point une loi. Le peuple anglais pense être libre, il se trompe fort ; il ne l'est que durant l'élection des membres du Parlement : sitôt qu'ils sont élus, il est esclave, il n'est rien. Dans les courts moments de sa liberté, l'usage qu'il en fait mérite bien qu'il la perde.

L'idée des Représentants est moderne : elle nous vient du Gouvernement féodal, de cet inique et absurde Gouvernement dans lequel l'espèce humaine est dégradée, et où le nom d'homme[6] est en déshonneur. Dans les anciennes Républiques et même dans les Monarchies, jamais le peuple n'eut des représentants ; on ne connaissait pas ce mot-là. Il est très singulier qu'à Rome où les Tribuns[7] étaient si sacrés on n'ait pas même imaginé qu'ils pussent usurper les fonctions du peuple, et qu'au milieu d'une si grande multitude, ils n'aient jamais tenté de passer[8] de leur chef un seul Plébiscite. Qu'on juge cependant de l'embarras que causait quelquefois la foule par ce qui arriva du temps des Gracques, où une partie des Citoyens donnait son suffrage de dessus les toits. [...]

Chez les Grecs tout ce que le peuple avait à faire, il le

---

1. Le moyen ; 2. La noblesse et le clergé ; 3. Que représente le tiers état, car, n'ayant nul privilège à défendre, il ne dépend que de la volonté générale ; 4. Cf. livre II, chap. Iᵉʳ ; 5. C'est-à-dire : ses envoyés ; 6. *Homme* y signifie : vassal, inférieur ; 7. Magistrats chargés de défendre la plèbe ; 8. C'est-à-dire : de provoquer.

faisait par lui-même : il était sans cesse assemblé sur la place. Il habitait un climat doux; il n'était point avide; des esclaves faisaient ses travaux; sa grande affaire était sa liberté. N'ayant plus les mêmes avantages, comment conserver les mêmes droits ? Vos climats plus durs vous donnent plus de besoins[1], six mois de l'année la place publique n'est pas tenable, vos langues sourdes[2] ne peuvent se faire entendre en plein air; vous donnez plus à votre gain[3] qu'à votre liberté, et vous craignez bien moins l'esclavage que la misère.

Quoi! la liberté ne se maintient qu'à l'appui de la servitude[4] ? Peut-être. Les deux excès se touchent. Tout ce qui n'est point dans la nature a ses inconvénients, et la société civile plus que tout le reste. Il y a telles positions malheureuses où l'on ne peut conserver sa liberté qu'aux dépens de celle d'autrui, et où le citoyen ne peut être parfaitement libre que l'esclave ne soit extrêmement esclave. Telle était la position de Sparte. Pour vous, peuples modernes, vous n'avez point d'esclaves, mais vous l'êtes; vous payez leur liberté de la vôtre. Vous avez beau vanter cette préférence, j'y trouve plus de lâcheté que d'humanité[5].

Je n'entends point par tout cela qu'il faille avoir des esclaves ni que le droit d'esclavage soit légitime, puisque j'ai prouvé le contraire[6] : je dis seulement les raisons pourquoi les peuples modernes qui se croient libres ont des Représentants, et pourquoi les peuples anciens n'en avaient pas. Quoi qu'il en soit, à l'instant qu'un peuple se donne des Représentants, il n'est plus libre; il n'est plus[7].

Tout bien examiné, je ne vois pas qu'il soit désormais possible au Souverain de conserver parmi nous l'exercice de ses droits si la Cité n'est très petite. Mais si elle est très petite, elle sera subjuguée ? Non. Je ferai voir ci-après[8] comment on peut réunir la puissance extérieure d'un grand Peuple avec la police aisée et le bon ordre d'un petit État.

---

1. Cf. livre III, chap. VIII; **2.** *Sourdes :* peu distinctes; **3.** *Gain :* bénéfice matériel et privé; **4.** Grâce à une population d'esclaves, comme en Grèce ou a Rome; **5.** Tout cela nous reporte aux thèses du premier *Discours* (cf. Notice); **6.** Cf. livre Ier, chap. II et IV; **7.** Il n'y a plus de volonté générale; Rousseau attaque ici l'Angleterre tant admirée par Montesquieu; **8.** Dans la suite des *Institutions politiques,* non publiée.

CHAPITRE XVI

QUE L'INSTITUTION DU GOUVERNEMENT
N'EST POINT UN CONTRAT

Le pouvoir Législatif une fois bien établi, il s'agit d'établir de même le pouvoir exécutif; car ce dernier, qui n'opère que par des actes particuliers, n'étant pas de l'essence de l'autre, en est naturellement[1] séparé. S'il était possible que le Souverain, considéré comme tel, eût la puissance exécutive, le droit et le fait seraient tellement confondus qu'on ne saurait plus ce qui est loi et ce qui ne l'est pas, et le corps politique ainsi dénaturé serait bientôt en proie à la violence contre laquelle il fut institué[2].

Les Citoyens étant tous égaux par le contrat social, ce que tous doivent faire tous peuvent le prescrire, au lieu que nul n'a droit d'exiger qu'un autre fasse ce qu'il ne fait pas lui-même[3]. Or, c'est proprement ce droit, indispensable pour faire vivre et mouvoir le corps politique, que le Souverain donne au Prince en instituant le Gouvernement.

Plusieurs ont prétendu[4] que l'acte de cet établissement était un contrat entre le Peuple et les chefs qu'il se donne; contrat par lequel on stipulait entre les deux parties les conditions sous lesquelles l'une s'obligeait à commander et l'autre à obéir. On conviendra, je m'assure, que voilà une étrange manière de contracter[5]. Mais voyons si cette opinion est soutenable.

Premièrement, l'autorité suprême ne peut pas plus se modifier que s'aliéner; la limiter, c'est la détruire. Il est absurde et contradictoire que le Souverain se donne un supérieur; s'obliger d'obéir à un maître, c'est se remettre[6] en pleine liberté.

De plus, il est évident que ce contrat du peuple avec telles ou telles personnes serait un acte particulier. D'où il suit que ce contrat ne saurait être une loi ni un acte de souveraineté, et que par conséquent il serait illégitime[7].

On voit encore que les parties contractantes seraient entre elles sous la seule loi de nature et sans aucun garant

---

1. Par nature; **2.** Car il y aurait deux souverains, ce qui est contradictoire, et le pacte social serait rompu; **3.** Le « droit du plus fort » ne fonde rien de stable. Cf. livre Ier; **4.** Allusion à Locke; **5.** Cf. livre Ier, chap. IV; **6.** *Se remettre :* se rendre esclave; **7.** Car nul acte de souveraineté (volonté générale) ne peut avoir d'objet particulier.

de leurs engagements réciproques, ce qui répugne de toutes manières à l'état civil. Celui qui a la force en main étant toujours le maître de l'exécution, autant vaudrait donner le nom de contrat à l'acte d'un homme qui dirait à un autre : « Je vous donne tout mon bien, à condition que vous m'en rendrez ce qu'il vous plaira. »

Il n'y a qu'un contrat dans l'État, c'est celui de l'association[1], et celui-là seul en exclut tout autre. On ne saurait imaginer aucun[2] contrat public qui ne fût une violation du premier.

CHAPITRE XVII

DE L'INSTITUTION DU GOUVERNEMENT

Sous quelle idée faut-il donc concevoir l'acte par lequel le Gouvernement est institué ? Je remarquerai d'abord que cet acte est complexe ou composé de deux autres, savoir : l'établissement de la loi et l'exécution de la loi.

Par le premier, le Souverain statue qu'il y aura un corps de Gouvernement établi sous telle ou telle forme ; et il est clair que cet acte est une loi[3].

Par le second, le Peuple nomme les chefs qui seront chargés du Gouvernement établi. Or, cette nomination étant un acte particulier n'est pas une seconde loi, mais seulement une suite de la première et une fonction du Gouvernement.

La difficulté est d'entendre comment on peut avoir un acte de Gouvernement avant que le Gouvernement existe, et comment le Peuple, qui n'est que Souverain ou sujet, peut devenir Prince ou Magistrat dans certaines circonstances.

C'est encore ici que se découvre une de ces étonnantes propriétés du corps politique, par lesquelles il concilie des opérations contradictoires en apparence. Car celle-ci se fait par une conversion subite de la Souveraineté en Démocratie ; en sorte que, sans aucun changement sensible, et seulement par une nouvelle relation de tous à tous[4], les Citoyens

---

1. Le contrat social ; **2.** Aucun autre ; **3.** C'est un acte de volonté générale, à objet général ; **4.** Une sorte de forme transitoire, de *structure* nouvelle, purement intentionnelle, virtuelle, mais qui va permettre le passage de l'« abîme » politique (cf. p. 40, note 6) : idée de grand intérêt philosophique, qui annonce la notion kantienne de *schème* (cf. Notice).

devenus Magistrats passent des actes généraux aux actes particuliers, et de la loi à l'exécution.

Ce changement de relation n'est point une subtilité de spéculation sans exemple dans la pratique : il a lieu tous les jours dans le Parlement d'Angleterre, où la Chambre basse[1] en certaines occasions se tourne en grand Comité, pour mieux discuter les affaires, et devient ainsi simple commission, de Cour Souveraine qu'elle était l'instant précédent; en telle sorte qu'elle se fait ensuite rapport à elle-même, comme chambre des Communes, de ce qu'elle vient de régler en grand Comité, et délibère de nouveau sous un titre de ce qu'elle a déjà résolu sous un autre.

Tel est l'avantage propre au Gouvernement Démocratique de pouvoir être établi dans le fait par un simple acte de la volonté générale[2]. Après quoi, ce Gouvernement provisionnel[3] reste en possession, si telle est la forme adoptée, ou établit au nom du Souverain le Gouvernement prescrit par la loi, et tout se trouve ainsi dans la règle. Il n'est pas possible d'instituer le Gouvernement d'aucune autre manière légitime et sans renoncer aux principes ci-devant établis.

CHAPITRE XVIII

MOYEN DE PRÉVENIR LES USURPATIONS DU GOUVERNEMENT

De ces éclaircissements il résulte, en confirmation du chapitre XVI, que l'acte qui institue le Gouvernement n'est point un contrat[4], mais une Loi, que les dépositaires de la puissance exécutive ne sont point les maîtres du peuple mais ses officiers, qu'il peut les établir et les destituer quand il lui plaît, qu'il n'est point question pour eux de contracter mais d'obéir, et qu'en se chargeant des fonctions que l'État leur impose ils ne font que remplir leur devoir de Citoyens, sans avoir en aucune sorte le droit de disputer sur les conditions.

Quand donc il arrive que le Peuple institue un Gouvernement héréditaire, soit monarchique dans une famille, soit aristocratique dans un ordre de Citoyens, ce n'est point un

---

1. La Chambre des communes; 2. L'objet est en effet général, puisque c'est la *totalité* des citoyens qui va gouverner; 3. *Provisionnel :* provisoire; 4. La volonté générale ne contracte qu'avec elle-même (contrat social).

engagement qu'il prend : c'est une forme provisionnelle qu'il donne à l'administration, jusqu'à ce qu'il lui plaise d'en ordonner autrement.

Il est vrai que ces changements sont toujours dangereux, et qu'il ne faut jamais toucher au Gouvernement établi que lorsqu'il devient incompatible avec le bien public; mais cette circonspection est une maxime de politique et non pas une règle de droit, et l'État[1] n'est pas plus tenu de laisser l'autorité civile à ses chefs, que l'autorité militaire à ses Généraux. [...]

L'ouverture de ces assemblées[2] qui n'ont pour objet que le maintien du traité social, doit toujours se faire par deux propositions qu'on ne puisse jamais supprimer, et qui passent séparément par les suffrages.

La première : « S'il plaît au Souverain de conserver la présente forme de Gouvernement. »

La seconde : « S'il plaît au Peuple[3] d'en laisser l'administration à ceux qui en sont actuellement chargés. »

Je suppose ici ce que je crois avoir démontré, savoir qu'il n'y a dans l'État aucune loi fondamentale qui ne se puisse révoquer, non pas même le pacte social[4]; car si tous les Citoyens s'assemblaient pour rompre ce pacte d'un commun accord, on ne peut douter qu'il ne fût très légitimement rompu. Grotius pense même que chacun peut renoncer à l'État dont il est membre, et reprendre sa liberté naturelle et ses biens en sortant du pays. Or, il serait absurde que tous les Citoyens réunis ne pussent pas ce que peut séparément chacun d'eux.

LIVRE IV

CHAPITRE PREMIER

QUE LA VOLONTÉ GÉNÉRALE EST INDESTRUCTIBLE

Tant que plusieurs hommes réunis se considèrent comme un seul corps, ils n'ont qu'une seule volonté qui se rapporte à la commune conservation, et au bien-être général.

---

1. Le corps politique; **2.** Cf. livre III, chap. XII; **3.** Dans sa forme transitoire de gouvernement démocratique; **4.** Cf. livre Iᵉʳ, chap. VII.

Alors tous les ressorts de l'État sont vigoureux et simples, ses maximes sont claires et lumineuses, il n'a point d'intérêts embrouillés, contradictoires, le bien commun se montre partout avec évidence[1], et ne demande que du bon sens pour être aperçu. La paix, l'union, l'égalité, sont ennemies des subtilités politiques. Les hommes droits et simples sont difficiles à tromper à cause de leur simplicité, les leurres, les prétextes raffinés ne leur en imposent point; ils ne sont pas même assez fins pour être dupes. Quand on voit chez le plus heureux peuple du monde[2] des troupes de paysans régler les affaires de l'État sous un chêne et se conduire toujours sagement, peut-on s'empêcher de mépriser les raffinements des autres nations, qui se rendent illustres et misérables avec tant d'art et de mystères[3] ?

Un État ainsi gouverné[4] a besoin de très peu de Lois et à mesure qu'il devient nécessaire d'en promulguer de nouvelles, cette nécessité se voit universellement. Le premier qui les propose ne fait que dire ce que tous ont déjà senti, et il n'est question ni de brigues ni d'éloquence pour faire passer en loi ce que chacun a déjà résolu de faire, sitôt qu'il sera sûr que les autres le feront comme lui. [...]

Mais quand[5] le nœud social commence à se relâcher et l'État à s'affaiblir; quand les intérêts particuliers commencent à se faire sentir et les petites sociétés[6] à influer sur la grande, l'intérêt commun s'altère et trouve des opposants : l'unanimité ne règne plus dans les voix, la volonté générale n'est plus la volonté de tous[7], il s'élève des contradictions, des débats, et le meilleur avis ne passe point sans disputes.

Enfin, quand l'État près de sa ruine ne subsiste plus que par une forme illusoire et vaine, que le lien social est rompu dans tous les cœurs[8], que le plus vil intérêt se pare effrontément du nom sacré du bien public, alors la volonté générale devient muette; tous guidés par des motifs secrets n'opinent[9] pas plus comme Citoyens que si l'État n'eût jamais existé; et l'on fait passer faussement sous le nom de

---

1. Rousseau se montre ici rationaliste, à la manière de Platon pour qui « nul n'est méchant volontairement »; 2. Allusion probable à la Suisse; 3. « Un peuple ne devient célèbre que quand sa législation commence à décliner » (note de Rousseau); 4. C'est la démocratie d'un pays peu étendu; 5. « Quand », et non pas « si ». Ce déclin est inévitable (cf. livre III, chap. x); 6. Les partis, les factions; 7. Leurs passions les emportent (cf. livre II, chap. III); 8. Il faut aimer les lois *avec passion* ; 9. *Opiner* : « dire son avis et le motiver » (note de Rousseau).

Lois des décrets iniques qui n'ont pour but que l'intérêt particulier.

S'ensuit-il de là que la volonté générale soit anéantie ou corrompue ? Non, elle est[1] toujours constante, inaltérable et pure ; mais elle est subordonnée à d'autres qui l'emportent sur elle. [...]

Ainsi la loi de l'ordre public dans les assemblées n'est pas tant d'y maintenir la volonté générale que de faire qu'elle soit toujours interrogée et qu'elle réponde toujours[2].

CHAPITRE II

DES SUFFRAGES

On voit par le chapitre précédent que la manière dont se traitent les affaires générales peut donner un indice assez sûr de l'état actuel des mœurs, et de la santé du corps politique[3]. Plus le concert règne dans les assemblées, c'est-à-dire plus les avis approchent de l'unanimité, plus aussi la volonté générale est dominante ; mais les longs débats, les dissensions, le tumulte, annoncent l'ascendant des intérêts particuliers et le déclin de l'État.

Ceci paraît moins évident quand deux ou plusieurs ordres entrent dans sa constitution, comme à Rome les Patriciens et les Plébéiens, dont les querelles troublèrent souvent les comices[4], même dans les plus beaux temps de la république : mais cette exception est plus apparente que réelle ; car alors, par le vice inhérent au corps politique, on a, pour ainsi dire, deux États en un : ce qui n'est pas vrai des deux ensemble est vrai de chacun séparément. Et en effet dans les temps même les plus orageux les plébiscites du peuple, quand le Sénat[5] ne s'en mêlait pas, passaient toujours tranquillement et à la grande pluralité des suffrages : les Citoyens n'ayant qu'un intérêt, le peuple n'avait qu'une volonté.

A l'autre extrémité du cercle[6] l'unanimité revient. C'est

---

1. C'est alors un « être de raison », une abstraction ; **2.** Il faut qu'elle soit « vivante » et « en acte » ; **3.** La cité est comparée à un homme (cf. livre III, chap. x) ; **4.** *Comices :* assemblées électorales de Rome réunies au Forum (cf. livre IV, chap. IV) ; **5.** C'est-à-dire le gouvernement ; **6.** Du cycle (cf. livre III, chap. x et notes).

quand les citoyens tombés dans la servitude n'ont plus ni liberté ni volonté. Alors la crainte et la flatterie changent en acclamations les suffrages; on ne délibère plus, on adore ou l'on maudit[1]. Telle était la vile manière d'opiner du Sénat sous les Empereurs. Quelquefois cela se faisait avec des précautions ridicules. Tacite observe[2] que sous Othon les Sénateurs, accablant Vitellius d'exécrations[3], affectaient de faire en même temps un bruit épouvantable afin que, si par hasard il devenait le maître, il ne pût savoir ce que chacun d'eux avait dit.

De ces diverses considérations naissent les maximes sur lesquelles on doit régler la manière de compter les voix et de comparer les avis, selon que la volonté générale est plus ou moins facile à connaître, et l'État plus ou moins déclinant.

Il n'y a qu'une seule loi qui par sa nature exige un consentement unanime. C'est le pacte social. [...]

Hors ce contrat primitif, la voix du plus grand nombre oblige toujours tous les autres; c'est une suite du contrat même[4]. Mais on demande comment un homme peut être libre et forcé de se conformer à des volontés qui ne sont pas les siennes. Comment les opposants sont-ils libres et soumis à des lois auxquelles ils n'ont pas consenti?

Je réponds que la question est mal posée. Le citoyen consent à toutes les lois, même à celles qu'on passe malgré lui, et même à celles qui le punissent quand il ose en violer quelqu'une. La volonté constante de tous les membres de l'État est la volonté générale : c'est par elle qu'ils sont citoyens et libres. Quand on propose une loi dans l'assemblée du Peuple, ce qu'on leur demande n'est pas précisément s'ils approuvent la proposition ou s'ils la rejettent[5], mais si elle est conforme ou non à la volonté générale qui est la leur : chacun en donnant son suffrage dit son avis là-dessus[6], et du calcul des voix se tire la déclaration de la volonté générale. Quand donc l'avis contraire au mien l'emporte, cela ne prouve autre chose sinon que je m'étais trompé, et que ce que j'estimais être la volonté générale ne l'était pas.

---

1. C'est ce que certains nommeront « l'androlâtrie » (adoration d'humains); **2.** *Histoires*, I, 85; **3.** *Vitellius, Othon* et *Galba* avaient été proclamés tous trois empereurs simultanément, chacun par ses légions (69 apr. J.-C.); **4.** Voir livre II, chap. III; **5.** En tant que « particuliers »; **6.** C'est exactement la définition du mot « opiner » donnée plus haut par Rousseau.

La ferme Robert
à Môtiers-Travers
où J.-J. Rousseau
vint vivre
après l'affaire
de l'*Émile*.

Phot. Boissonnas.

CHAPITRE III

DES ÉLECTIONS

A l'égard des élections du Prince et des Magistrats, qui sont, comme je l'ai dit, des actes complexes[1], il y a deux voies pour y procéder; savoir, le choix et le sort. L'une et l'autre ont été employées en diverses Républiques, et l'on voit encore actuellement un mélange très compliqué des deux dans l'élection du Doge de Venise[2].

« Le suffrage par le sort, dit Montesquieu[3], est de la nature de la démocratie. J'en conviens, mais comment cela? Le sort, continue-t-il, est une façon d'élire qui n'afflige personne : il laisse à chaque citoyen une espérance raisonnable de servir la patrie. » Ce ne sont pas là des raisons.

Si l'on fait attention que l'élection des chefs est une fonction du Gouvernement et non de la Souveraineté[4], on verra pourquoi la voie du sort est plus dans la nature de la démocratie, où l'administration est d'autant meilleure que les actes en sont moins multipliés.

Dans toute véritable Démocratie la magistrature n'est pas un avantage, mais une charge onéreuse qu'on ne peut justement imposer à un particulier plutôt qu'à un autre. La loi seule peut imposer cette charge à celui sur qui le sort tombera. Car alors, la condition étant égale pour tous, et le choix ne dépendant d'aucune volonté humaine, il n'y a point d'application particulière qui altère l'universalité de la loi[5]. [...]

Quand le choix et le sort se trouvent mêlés, le premier doit remplir les places qui demandent des talents propres, telles que les emplois militaires : l'autre convient à celles où suffisent le bon sens, la justice, l'intégrité, telles que les charges de judicature[6], parce que dans un État bien constitué ces qualités sont communes à tous les citoyens[7]. [...]

Il me resterait à parler de la manière de donner et de

---

1. Voir livre III, chap. II : « Ils comportent établissement, puis exécution, de la loi » (M. Halbwachs); **2.** A Venise, le Grand Conseil élisait 30 citoyens, qui en élisaient 9, qui en élisaient 40, dont 12 étaient tirés au sort, et en élisaient 25, dont 11 étaient tirés au sort, et en élisaient 41, qui élisaient le doge! (d'après Beaulavon); **3.** *Esprit des lois*, II, II; **4.** Car elle porte sur un objet particulier; **5.** Ici, l'opportunisme de Rousseau semble disparaître au profit d'un simple hasard mathématique; **6.** Les charges judiciaires; **7.** A moins que leurs passions ne les entraînent hors de la volonté générale.

recueillir les voix dans l'assemblée du peuple; mais peut-être l'historique de la police¹ Romaine à cet égard expliquera-t-il plus sensiblement toutes les maximes que je pourrais établir. Il n'est pas indigne d'un lecteur judicieux de voir un peu en détail comment se traitent les affaires publiques et particulières dans un Conseil de deux cent mille hommes.

CHAPITRE IV

DES COMICES ROMAINS²

Nous n'avons nuls monuments bien assurés des premiers temps de Rome; il y a même grande apparence que la plupart des choses qu'on en débite sont des fables; et en général la partie la plus instructive des annales des peuples, qui est l'histoire de leur établissement³, est celle qui nous manque le plus. L'expérience nous apprend tous les jours de quelles causes naissent les révolutions des empires : mais comme il ne se forme plus de peuples, nous n'avons guère que des conjectures pour expliquer comment ils se sont formés.

Les usages qu'on trouve établis attestent au moins qu'il y eut une origine à ces usages. Des traditions qui remontent à ces origines, celles qu'appuyent les plus grandes autorités et que de plus fortes raisons confirment doivent passer pour les plus certaines. Voilà les maximes que j'ai tâché de suivre en recherchant comment le plus libre et le plus puissant peuple de la terre exerçait son pouvoir suprême.

Après la fondation de Rome, la République naissante, c'est-à-dire l'armée du fondateur, composée d'Albains⁴, de Sabins⁵ et d'étrangers, fut divisée en trois classes qui de cette division prirent le nom de *Tribus*⁶. Chacune de ces Tribus fut subdivisée en dix Curies, et chaque Curie en Décuries, à la tête desquelles on mit des chefs appelés *Curions* et *Décurions*.

Outre cela, on tira de chaque Tribu un corps de cent Cavaliers ou Chevaliers, appelé Centurie, par où l'on voit que ces divisions, peu nécessaires dans un bourg, n'étaient

1. *Police* : forme de la vie *politique* et des institutions; 2. Ici débute un très long chapitre, qui témoigne de l'admiration de Rousseau pour l'ancienne Rome; 3. Du pacte social fondamental; 4. Romulus et Remus étaient les petits-fils du roi d'Albe, Numitor; 5. Après l'enlèvement des Sabines, puis la lutte et la réconciliation entre Albains et Sabins; 6. De *tres*, trois.

d'abord que militaires. Mais il semble qu'un instinct de grandeur portait la petite ville de Rome à se donner d'avance une police[1] convenable à la capitale du monde.

De ce premier partage, résulta bientôt un inconvénient. C'est que la tribu des Albains et celle des Sabins restant toujours au même état, tandis que celle des étrangers croissait sans cesse par le concours[2] perpétuel de ceux-ci, cette dernière ne tarda pas à surpasser les deux autres. Le remède que Servius[3] trouva à ce dangereux abus fut de changer la division, et à celle des races, qu'il abolit, d'en substituer une autre tirée des lieux de la ville occupés par chaque Tribu. Au lieu de trois Tribus il en fit quatre, chacune desquelles occupait une des collines de Rome et en portait le nom. Ainsi, remédiant à l'inégalité[4] présente, il la prévint encore pour l'avenir; et afin que cette division ne fût pas seulement de lieux mais d'hommes, il défendit aux habitants d'un quartier de passer dans un autre; ce qui empêcha les races de se confondre.

Il doubla aussi les trois anciennes centuries de Cavalerie, et y en ajouta douze autres, mais toujours sous les anciens noms; moyen simple et judicieux, par lequel il acheva de distinguer le corps des Chevaliers de celui du Peuple, sans faire murmurer ce dernier[5].

A ces quatre Tribus urbaines, Servius en ajouta quinze autres appelées Tribus rustiques[6], parce qu'elles étaient formées des habitants de la campagne, partagés en autant de cantons. Dans la suite on en fit autant de nouvelles, et le peuple romain se trouva enfin divisé en trente-cinq Tribus, nombre auquel elles restèrent fixées jusqu'à la fin de la République.

De cette distinction des Tribus de la ville et des Tribus de la campagne résulta un effet digne d'être observé, parce qu'il n'y en a point d'autre exemple, et que Rome lui dut à la fois la conservation de ses mœurs et l'accroissement de son empire. On croirait que les Tribus urbaines s'arrogèrent bientôt la puissance et les honneurs, et ne tardèrent pas d'avilir les Tribus rustiques : ce fut tout le contraire. On connaît le goût des premiers Romains pour la vie cham-

---

1. Un regime politique; **2.** Sens étymologique *(concursus)* : arrivée en masse, immigration; **3.** *Servius* Tullius; **4.** Quantitative; **5.** Il admit en outre « un certain nombre de plébéiens, choisis parmi les plus riches, à combattre à cheval, et en forma douze centuries nouvelles » (Fustel de Coulanges); **6.** De *rus* : campagne.

pêtre. Ce goût venait du sage instituteur[1] qui unit à la liberté les travaux rustiques et militaires, et relégua pour ainsi dire à la ville les arts, les métiers, l'intrigue, la fortune et l'esclavage.

Ainsi, tout ce que Rome avait d'illustre vivant aux champs et cultivant les terres, on s'accoutuma à ne chercher que là les soutiens de la République. Cet état, étant celui des plus dignes Patriciens, fut honoré de tout le monde; la vie simple et laborieuse des Villageois fut préférée à la vie oisive et lâche des Bourgeois de Rome, et tel n'eût été qu'un malheureux prolétaire à la ville, qui, laboureur aux champs, devint un Citoyen respecté[2]. Ce n'est pas sans raison, disait Varron[3], que nos magnanimes ancêtres établirent au Village la pépinière de ces robustes et vaillants hommes qui les défendaient en temps de guerre et les nourrissaient en temps de paix. Pline dit positivement que les Tribus des champs étaient honorées à cause des hommes qui les composaient; au lieu qu'on transférait par ignominie dans celles de la Ville les lâches qu'on voulait avilir. Le Sabin Appius Claudius, étant venu s'établir à Rome, y fut comblé d'honneurs et inscrit dans une Tribu rustique qui prit dans la suite le nom de sa famille[4]. Enfin les affranchis entraient tous dans les Tribus urbaines, jamais dans les rurales; et il n'y a pas durant toute la république un seul exemple d'aucun de ces affranchis parvenu à aucune magistrature, quoique devenu Citoyen. [...]

Ces assemblées légitimement convoquées s'appelaient *Comices* : elles se tenaient ordinairement dans la place de Rome[5] ou au champ de Mars, et se distinguaient en comices par Curies, comices par Centuries, et comices par Tribus, selon celle de ces trois formes sur laquelle elles étaient ordonnées : les comices par Curies étaient de l'institution de Romulus; ceux par Centuries de Servius; ceux par tribus des Tribuns du peuple[6]. Aucune loi ne recevait la sanction, aucun magistrat n'était élu que dans les comices; et comme il n'y avait aucun Citoyen qui ne fût inscrit dans une Curie, dans une Centurie, ou dans une Tribu, il s'ensuit qu'aucun citoyen n'était exclu du droit de suffrage, et que le peuple

---

1. *Instituteur :* législateur (Servius Tullius); 2. Allusion probable à Cincinnatus, le dictateur laboureur; 3. Auteur du *De re rustica ;* 4. La gens Claudia; 5. Le Forum; 6. Les tribuns, au nombre de deux, pris parmi les plébéiens aisés, avaient mission de protéger la plèbe. Ils furent institués dès 493 avant J.-C. à la suite des querelles entre patriciens et plébéiens.

romain était véritablement Souverain de droit et de fait.

Pour que les Comices fussent légitimement assemblés et que ce qui s'y faisait eût force de loi il fallait trois conditions : la première, que le corps ou le Magistrat qui les convoquait fût revêtu pour cela de l'autorité nécessaire; la seconde, que l'assemblée se fît un des jours permis par la loi; la troisième, que les augures fussent favorables.

La raison du premier règlement n'a pas besoin d'être expliquée. Le second est une affaire de police[1], ainsi, il n'était pas permis de tenir les Comices les jours de férie[2] et de marché, où les gens de la campagne venant à Rome pour leurs affaires n'avaient pas le temps de passer la journée dans la place publique. Par le troisième, le Sénat tenait en bride un peuple fier et remuant, et tempérait à propos l'ardeur des Tribuns séditieux; mais ceux-ci trouvèrent plus d'un moyen de se délivrer de cette gêne.

Les lois et l'élection des chefs n'étaient pas les seuls points soumis au jugement des Comices : le peuple romain ayant usurpé les plus importantes fonctions du Gouvernement[3], on peut dire que le sort de l'Europe était réglé dans ses assemblées. Cette variété d'objet donnait lieu aux diverses formes que prenaient ces assemblées selon les matières sur lesquelles il avait à prononcer.

Pour juger de ces diverses formes, il suffit de les comparer. Romulus, en instituant les Curies, avait en vue de contenir le Sénat par le peuple et le peuple par le Sénat, en dominant également sur tous. Il donna donc au peuple par cette forme toute l'autorité du nombre pour balancer celle de la puissance et des richesses qu'il laissait aux patriciens. Mais, selon l'esprit de la Monarchie, il laissa cependant plus d'avantage aux patriciens par l'influence de leurs Clients[4] sur la pluralité des suffrages. Cette admirable institution des Patrons et des Clients fut un chef-d'œuvre de politique et d'humanité sans lequel le Patriciat, si contraire à l'esprit de la République, n'eût pu subsister. Rome seule a eu l'honneur de donner au monde ce bel exemple, duquel il ne résulta jamais d'abus, et qui pourtant n'a jamais été suivi.

Cette même forme des Curies ayant subsisté sous les Rois jusqu'à Servius, et le règne du dernier Tarquin[5]

---

1. C'est-à-dire : d'organisation; **2.** *Férie* : fête, foire; **3.** Le « souverain » avait, ici, empiété sur le « prince »; **4.** *Clients* : plébéiens attachés à la *gens* ; **5.** *Tarquin* le Superbe, successeur de Servius Tullius.

n'étant point compté pour légitime, cela fit distinguer généralement les lois royales par le nom de *leges curiatae*.

Sous la République, les Curies, toujours bornées aux quatre tribus urbaines, et ne contenant plus que la populace de Rome[1], ne pouvaient convenir ni au Sénat, qui était à la tête des Patriciens, ni aux Tribuns qui, quoique plébéiens, étaient à la tête des citoyens aisés. Elles tombèrent donc dans le discrédit, et leur avilissement fut tel, que leurs trente Licteurs[2] assemblés faisaient ce que les comices par Curies auraient dû faire.

La division par Centuries était si favorable à l'Aristocratie, qu'on ne voit pas d'abord comment le Sénat ne l'emportait pas toujours dans les Comices qui portaient ce nom, et par lesquels étaient élus les consuls, les Censeurs et les autres Magistrats curules. En effet, des cent quatre-vingt-treize centuries qui formaient les six classes[3] de tout le peuple romain, la première Classe en comprenant quatre-vingt-dix-huit, et les voix ne se comptant que par Centuries, cette seule première classe l'emportait en nombre de voix sur toutes les autres. Quand toutes ses Centuries étaient d'accord, on ne continuait pas même à recueillir les suffrages ; ce qu'avait décidé le plus petit nombre passait pour une décision de la multitude, et l'on peut dire que dans les comices par centuries les affaires se réglaient à la pluralité des écus bien plus qu'à celle des voix[4].

Mais cette extrême autorité se tempérait par deux moyens : premièrement les Tribuns pour l'ordinaire, et toujours un grand nombre de Plébéiens, étant dans la classe des riches, balançaient le crédit des Patriciens dans cette première classe.

Le second moyen consistait en ceci, qu'au lieu de faire d'abord voter les Centuries selon leur ordre, ce qui aurait toujours fait commencer par la première, on en tirait une au sort, et celle-là procédait seule à l'élection ; après quoi toutes les Centuries, appelées un autre jour selon leur rang, répétaient la même élection et la confirmaient ordinairement. On ôtait ainsi l'autorité de l'exemple[5] au rang pour la donner au sort, selon le principe de la Démocratie.

---

1. Par opposition aux centuries aristocratiques ; **2.** *Licteurs :* magistrats chargés de les convoquer au Forum ; **3.** Division également due à Servius Tullius ; **4.** Cette méthode, peu conforme à l'égalité, était (selon Rousseau) tempérée par les mœurs vertueuses de tous ; **5.** Qu'elles « confirmaient ordinairement ».

Il résultait de cet usage un autre avantage encore; c'est que les Citoyens de la campagne avaient le temps entre les deux élections, de s'informer du mérite du candidat provisionnellement nommé, afin de ne donner leur voix qu'avec connaissance de cause. Mais, sous prétexte de célérité, l'on vint à bout d'abolir cet usage, et les deux élections se firent le même jour.

Les Comices par Tribus étaient proprement le Conseil du peuple romain. Ils ne se convoquaient que par les Tribuns; les Tribuns y étaient élus et y passaient leurs plébiscites. Non seulement le Sénat n'y avait point de rang, il n'avait pas même le droit d'y assister[1]; et, forcés d'obéir à des lois sur lesquelles ils n'avaient pu voter, les Sénateurs, à cet égard, étaient moins libres que les derniers Citoyens. Cette injustice était tout à fait mal entendue[2], et suffisait seule pour invalider les décrets d'un corps où tous ses membres[3] n'étaient pas admis. Quand tous les patriciens eussent assisté à ces comices selon le droit qu'ils en avaient comme Citoyens, devenus alors simples particuliers, ils n'eussent guère influé sur une forme de suffrages qui se recueillaient par tête et où le moindre prolétaire pouvait autant que le Prince[4] du Sénat.

On voit donc qu'outre l'ordre qui résultait de ces diverses distributions[5] pour le recueillement des suffrages d'un si grand Peuple, ces distributions ne se réduisaient pas à des formes indifférentes en elles-mêmes, mais que chacune avait des effets relatifs aux vues qui la faisaient préférer.

Sans entrer là-dessus en de plus longs détails, il résulte des éclaircissements précédents que les comices par Tribus étaient plus favorables au Gouvernement populaire, et les comices par centuries à l'Aristocratie. A l'égard des comices par Curies où la seule populace de Rome formait la pluralité[6], comme ils n'étaient bons qu'à favoriser la tyrannie et les mauvais desseins, ils durent tomber dans le décri, les séditieux eux-mêmes s'abstenant d'un moyen qui mettait trop à découvert leurs projets. Il est certain que toute la majesté du Peuple Romain ne se trouvait que dans les comices par Centuries qui seuls étaient complets; attendu

---

1. Même comme votants, ses membres n'y siégeaient pas (ce qui était contraire à la volonté générale); **2.** C'est-à-dire : mal organisée); **3.** C'est-à-dire : « où tous les membres de ce corps [l'assemblée du peuple] n'étaient pas admis »; **4.** Président *(princeps)* ; **5.** *Distributions :* répartitions; **6.** Au temps de la création des curies, les « tribus rustiques » n'existaient pas encore.

que dans les comices par Curies manquaient les tribus rustiques, et dans les comices par Tribus le Sénat et les Patriciens.

Quant à la manière de recueillir les suffrages, elle était chez les premiers Romains aussi simple que leurs mœurs, quoique moins simple encore qu'à Sparte. Chacun donnait son suffrage à haute voix, un greffier les écrivait à mesure : pluralité de voix dans chaque tribu déterminait le suffrage de la tribu, pluralité de voix entre les tribus déterminait le suffrage du peuple, et ainsi des Curies et des Centuries. Cet usage était bon tant que l'honnêteté régnait entre les Citoyens, et que chacun avait honte de donner publiquement son suffrage à un avis injuste ou à un sujet indigne; mais, quand le peuple se corrompit et qu'on acheta les voix, il convint qu'elles se donnassent en secret pour contenir les acheteurs par la défiance, et fournir aux fripons le moyen de n'être pas des traîtres[1].

Je sais que Cicéron blâme ce changement et lui attribue en partie la ruine de la république[2]. Mais, quoique je sente le poids que doit avoir ici l'autorité de Cicéron, je ne puis être de son avis. Je pense au contraire que, pour n'avoir pas fait assez de changements semblables, on accéléra la perte de l'État. Comme le régime des gens sains n'est pas propre aux malades, il ne faut pas vouloir gouverner un peuple corrompu par les mêmes lois qui conviennent à un bon peuple. Rien ne prouve mieux cette maxime que la durée de la république de Venise, dont le simulacre existe encore, uniquement parce que ses lois ne conviennent qu'à de méchants hommes[3].

On distribua donc aux Citoyens des tablettes par lesquelles chacun pouvait voter sans qu'on sût quel était son avis. On établit aussi de nouvelles formalités pour le recueillement des tablettes, le compte des voix, la comparaison des nombres, etc. Ce qui n'empêcha pas que la fidélité des Officiers chargés de ces fonctions ne fût souvent suspectée. On fit enfin, pour empêcher la brigue et le trafic des suffrages, des édits dont la multitude montre l'inutilité.

Vers les derniers temps, on était souvent contraint de recourir à des expédients extraordinaires pour suppléer à

---

1. C'est-à-dire : permettre aux gens « achetés » de voter malgré tout pour la république, en secret; 2. *De legibus*, IV; 3. Cf. livre III, chap. 1ᵉʳ. Nous retrouvons l'opportunisme et le « relativisme ».

l'insuffisance des lois. Tantôt on supposait des prodiges; mais ce moyen, qui pouvait en imposer au peuple, n'en imposait pas à ceux qui le gouvernaient : tantôt on convoquait brusquement une assemblée avant que les Candidats eussent eu le temps de faire leurs brigues[1], tantôt on consumait toute une séance à parler quand on voyait le peuple gagné prêt à prendre un mauvais parti. Mais enfin, l'ambition éluda tout; et ce qu'il y a d'incroyable, c'est qu'au milieu de tant d'abus, ce peuple immense, à la faveur de ses anciens règlements, ne laissait pas d'élire les Magistrats, de passer les lois, de juger les causes, d'expédier les affaires particulières et publiques, presque avec autant de facilité qu'eût pu faire le Sénat lui-même[2].

CHAPITRE V

DU TRIBUNAT

Quand on ne peut établir une exacte proportion entre les parties constitutives de l'État, ou que des causes indestructibles en altèrent sans cesse les rapports, alors on institue une magistrature particulière qui ne fait point corps avec les autres, qui replace chaque terme dans son vrai rapport, et qui fait une liaison ou un moyen terme soit entre le Prince et le Peuple, soit entre le Prince et le Souverain, soit à la fois des deux côtés s'il est nécessaire[3].

Ce corps, que j'appellerai *Tribunat*, est le conservateur des lois et du pouvoir législatif. Il sert quelquefois à protéger le Souverain contre le Gouvernement, comme faisaient à Rome les Tribuns du peuple, quelquefois à soutenir le gouvernement contre le peuple, comme fait maintenant à Venise le conseil des Dix; et quelquefois à maintenir l'équilibre de part et d'autre, comme faisaient les Ephores à Sparte.

Le Tribunat n'est point une partie constitutive de la Cité, et ne doit avoir aucune portion de la puissance législative ni de l'exécutive, mais c'est en cela même que la sienne est plus grande : car ne pouvant rien faire il peut

---

1. Campagnes électorales; 2. L'ordre et la bonne organisation se poursuivaient d'eux-mêmes, tant ils étaient conçus pour durer; 3. Cf. livre III, chap. VII, sur les gouvernements mixtes et les magistrats intermédiaires nécessaires à l'équilibre.

tout empêcher[1]. Il est plus sacré et plus révéré, comme défenseur des lois, que le Prince qui les exécute et que le Souverain qui les donne. C'est ce qu'on vit bien clairement à Rome quand ces fiers patriciens, qui méprisèrent toujours le peuple entier, furent forcés de fléchir devant un simple officier du peuple, qui n'avait ni auspices ni juridiction[2].

Le Tribunat sagement tempéré est le plus ferme appui d'une bonne constitution ; mais pour peu de force qu'il ait de trop, il renverse tout : à l'égard de la faiblesse, elle n'est pas dans sa nature ; et pourvu qu'il soit quelque chose, il n'est jamais moins qu'il ne faut.

Il dégénère en tyrannie quand il usurpe la puissance exécutive dont il n'est que le modérateur, et qu'il veut dispenser les lois qu'il ne doit que protéger. [...]

Le meilleur moyen de prévenir les usurpations d'un si redoutable corps, moyen dont nul Gouvernement ne s'est avisé jusqu'ici, serait de ne pas rendre ce corps permanent, mais de régler les intervalles durant lesquels il resterait supprimé. Ces intervalles, qui ne doivent pas être assez grands pour laisser aux abus le temps de s'affermir, peuvent être fixés par la loi, de manière qu'il soit aisé de les abréger au besoin par des commissions extraordinaires.

Ce moyen me paraît sans inconvénient, parce que, comme je l'ai dit, le Tribunat ne faisant point partie de la constitution peut être ôté sans qu'elle en souffre ; et il me paraît efficace, parce qu'un magistrat nouvellement rétabli ne part point du pouvoir qu'avait son prédécesseur, mais de celui que la loi lui donne[3].

CHAPITRE VI

DE LA DICTATURE

L'inflexibilité des lois, qui les empêche de se plier aux événements, peut en certains cas les rendre pernicieuses et causer par elles la perte de l'État dans sa crise. L'ordre et la lenteur des formes demandent un espace de temps que les circonstances refusent quelquefois. Il peut se présenter

---

1. Par le droit de *veto* ; 2. Les tribuns avaient, en outre, un caractère religieux, ils étaient « sacro-saints » et inviolables (v. Fustel de Coulanges, *la Cité antique*) ; 3. Entre-temps, l'État s'est raffermi sur ses bases.

mille cas auxquels le législateur n'a point pourvu, et c'est une prévoyance très nécessaire de sentir qu'on ne peut tout prévoir[1].

Il ne faut donc pas vouloir affermir les institutions politiques jusqu'à s'ôter le pouvoir d'en suspendre l'effet. Sparte elle-même a laissé dormir ses lois.

Mais il n'y a que les plus grands dangers qui puissent balancer celui d'altérer l'ordre public, et l'on ne doit jamais arrêter[2] le pouvoir sacré des lois que quand il s'agit du salut de la patrie. Dans ces cas rares et manifestes, on pourvoit à la sûreté publique par un acte particulier qui en remet la charge au plus digne[3]. Cette commission peut se donner de deux manières selon l'espèce du danger.

Si, pour y remédier, il suffit d'augmenter l'activité du gouvernement, on le concentre dans un ou deux de ses membres. Ainsi ce n'est pas l'autorité des lois qu'on altère, mais seulement la forme de leur administration. Que si le péril est tel que l'appareil des lois soit un obstacle à s'en garantir, alors on nomme un chef suprême qui fasse taire toutes les lois et suspende un moment l'autorité Souveraine; en pareil cas, la volonté générale n'est pas douteuse, et il est évident que la première intention du peuple est que l'État ne périsse pas. De cette manière la suspension de l'autorité législative ne l'abolit point : le magistrat qui la fait taire ne peut la faire parler, il la domine sans pouvoir la représenter; il peut tout faire, excepté des lois[4]. [...]

Au reste, de quelque manière que cette importante commission soit conférée, il importe d'en fixer la durée à un terme très court qui jamais ne puisse être prolongé. Dans les crises qui la font établir, l'État est bientôt détruit ou sauvé, et, passé le besoin pressant, la Dictature devient tyrannique ou vaine. A Rome les Dictateurs ne l'étant que pour six mois, la plupart abdiquèrent avant ce terme. Si le terme eût été plus long, peut-être eussent-ils été tentés de le prolonger encore, comme firent les Décemvirs celui d'une année. Le Dictateur n'avait que le temps de pourvoir au besoin qui l'avait fait élire, et il n'avait pas celui de songer à d'autres projets.

---

1. Ici encore, Rousseau s'élève contre les lois figées et pétrifiées, La loi doit vivre et rester souple; 2. *Arrêter :* suspendre; 3. L'urgence permet cet usage anormal de la volonté générale (se considérant provisoirement comme gouvernement démocratique); 4. On est en « état de guerre », la cité étant en péril.

CHAPITRE VII

DE LA CENSURE

De même que la déclaration de la volonté générale se fait par la loi, la déclaration du jugement public se fait par la censure; l'opinion publique est l'espèce de loi dont le Censeur est le Ministre, et qu'il ne fait qu'appliquer aux cas particuliers, à l'exemple du Prince.

Loin donc que le tribunal censorial soit l'arbitre de l'opinion du peuple, il n'en est que le déclarateur, et sitôt qu'il s'en écarte, ses décisions sont vaines et sans effet[1].

Il est inutile de distinguer les mœurs d'une nation des objets de son estime; car tout cela tient au même principe et se confond nécessairement. Chez tous les peuples du monde, ce n'est point la nature mais l'opinion qui décide du choix de leurs plaisirs. Redressez les opinions des hommes et leurs mœurs s'épureront d'elles-mêmes. On aime toujours ce qui est beau ou ce qu'on trouve tel, mais c'est sur ce jugement qu'on se trompe : c'est donc ce jugement qu'il s'agit de régler. Qui juge des mœurs juge de l'honneur, et qui juge de l'honneur prend sa loi de l'opinion[2].

Les opinions d'un peuple naissent de sa constitution; quoique la loi ne règle pas les mœurs, c'est la législation qui les fait naître[3] : quand la législation s'affaiblit les mœurs dégénèrent, mais alors le jugement des Censeurs ne fera pas ce que la force des lois n'aura pas fait.

Il suit de là que la Censure peut être utile pour conserver les mœurs, jamais pour les rétablir. Établissez des Censeurs durant la vigueur des lois; sitôt qu'elles l'ont perdue, tout est désespéré; rien de légitime n'a plus de force lorsque les lois n'en ont plus.

La Censure maintient les mœurs en empêchant les opinions de se corrompre, en conservant leur droiture par de sages applications, quelquefois même en les fixant lorsqu'elles sont encore incertaines. L'usage des seconds dans

---

1. Cela est la théorie. En pratique, il n'en était point ainsi à Rome, selon Montesquieu; **2.** Toute conduite (*mœurs*) dépend de la notion d'un bien privé ou public (l'honneur), et cette notion dépend elle-même de l'opinion de chacun et de tous; **3.** Elles sont une « seconde nature ». Le législateur s'apparente au pédagogue : il éduque le peuple par les lois.

les duels, porté jusqu'à la fureur dans le royaume de France, y fut aboli par ces seuls mots d'un édit du roi : « Quant à ceux qui ont la lâcheté d'appeler les Seconds. » Ce jugement, prévenant celui du public, le détermina[1] tout d'un coup. Mais quand les mêmes édits voulurent prononcer que c'était aussi une lâcheté de se battre en duel, ce qui est très vrai, mais contraire à l'opinion commune, le public se moqua de cette décision, sur laquelle son jugement était déjà porté. [...]

CHAPITRE VIII[2]

DE LA RELIGION CIVILE

Les hommes n'eurent point d'abord d'autres Rois que les Dieux, ni d'autre Gouvernement que le Théocratique. Ils firent le raisonnement de Caligula[3], et alors ils raisonnaient juste[4]. Il faut une longue altération de sentiments et d'idées pour qu'on puisse se résoudre à prendre son semblable pour maître[5], et se flatter qu'on s'en trouvera bien.

De cela seul qu'on mettait Dieu à la tête de chaque société politique, il s'ensuivit qu'il y eut autant de Dieux que de peuples. Deux peuples étrangers l'un à l'autre, et presque toujours ennemis, ne purent longtemps reconnaître un même maître. Deux armées se livrant bataille ne sauraient obéir au même chef. Ainsi des divisions nationales résulta le polythéisme[6], et de là l'intolérance théologique et civile qui naturellement est la même, comme il sera dit ci-après[7].

La fantaisie qu'eurent les Grecs de retrouver leurs Dieux chez les peuples barbares vint de celle qu'ils avaient aussi de se regarder comme les Souverains naturels de ces peuples. Mais c'est de nos jours une érudition bien ridicule que celle qui roule sur l'identité des Dieux de diverses nations : comme si Moloch, Saturne et Chronos pouvaient être le même Dieu; comme si le Baal des Phéniciens, le Zeus

---

1. Car jusque-là il « restait incertain »; **2.** Chapitre ajouté au dernier moment par Rousseau; **3.** Cf. livre Ier, chap. II; **4.** Dans l'état de nature, seuls les dieux peuvent dominer l'homme; **5.** Le pacte social semble ici un pis-aller, inférieur à l'état de nature. Mais Rousseau vise ici le contrat selon Hobbes, par lequel les hommes se donnent un chef absolu; **6.** Une multiplicité de dieux, autant que de cités; **7.** Puisque le dieu se confondait avec la patrie.

des Grecs et le Jupiter des Latins pouvaient être le même; comme s'il pouvait rester quelque chose commune à des Êtres chimériques portant des noms différents[1]!

Que l'on demande comment dans le paganisme où chaque État avait son culte et ses Dieux il n'y avait point de guerre de religion? Je réponds que c'était par cela même que chaque État, ayant son culte propre aussi bien que son Gouvernement, ne distinguait point ses Dieux de ses lois. La guerre politique était aussi Théologique; les départements des Dieux étaient pour ainsi dire fixés par les bornes des Nations. Le Dieu d'un peuple n'avait aucun droit sur les autres peuples[2]. Les Dieux des païens n'étaient point des dieux jaloux; ils partageaient entre eux l'empire du monde : Moïse même et le peuple hébreu se prêtaient quelquefois à cette idée en parlant du Dieu d'Israël. Ils regardaient, il est vrai, comme nuls les Dieux des Cananéens, peuples proscrits, voués à la destruction, et dont ils devaient occuper la place; mais voyez comment ils parlaient des divinités des peuples voisins qu'il leur était défendu d'attaquer : « La possession de ce qui appartient à Chamos, votre dieu, disait Jephté aux Ammonites, ne vous est-elle pas légitimement due? Nous possédons au même titre les terres que notre Dieu vainqueur s'est acquises[3]. » C'était là, ce me semble, une parité bien reconnue entre les droits de Chamos et ceux du Dieu d'Israël.

Mais quand les Juifs, soumis aux Rois de Babylone et dans la suite aux Rois de Syrie, voulurent s'obstiner à ne reconnaître aucun autre Dieu que le leur, ce refus, regardé comme une rébellion contre le vainqueur[4], leur attira les persécutions qu'on lit dans leur histoire et dont on ne voit aucun autre exemple avant le Christianisme. [...]

La Religion considérée par rapport à la société, qui est ou générale ou particulière, peut aussi se diviser en deux espèces, savoir, la Religion de l'homme et celle du Citoyen. La première, sans temples, sans autels, sans rites, bornée au culte purement intérieur du Dieu Suprême et aux devoirs éternels de la morale, est la pure et simple Religion de l'Évangile, le vrai Théisme[5], ce qu'on peut appeler le droit

---

1. L'idée critiquée ici semble cependant adoptée de nos jours; **2.** Cf. Fustel de Coulanges; **3.** Juges (XI, 24); **4.** Puisqu'ils ne pouvaient concevoir de Dieu sans cité; **5.** Thème légèrement différent de *la Profession de foi du vicaire savoyard*, dans l'*Emile*, où il n'est point question d'Évangile.

divin naturel[1]. L'autre, inscrite dans un seul pays, lui donne ses Dieux, ses patrons propres et tutélaires ; elle a ses dogmes, ses rites, son culte extérieur prescrit par des lois : hors la seule Nation qui la suit, tout est pour elle infidèle, étranger, barbare ; elle n'étend les devoirs et les droits de l'homme qu'aussi loin que ses autels. Telles furent toutes les Religions des premiers peuples, auxquelles on peut donner le nom de droit divin civil ou positif.

Il y a une troisième sorte de Religion plus bizarre qui, donnant aux hommes deux législations, deux chefs, deux patries, les soumet à des devoirs contradictoires et les empêche de pouvoir être à la fois dévots et Citoyens. Telle est la religion des Lamas[2], telle est celle des Japonais, tel est le christianisme romain. On peut appeler celle-ci la religion du Prêtre. Il en résulte une sorte de droit mixte et insociable[3] qui n'a point de nom.

A considérer politiquement ces trois sortes de religions, elles ont toutes leurs défauts. La troisième est si évidemment mauvaise, que c'est perdre le temps de s'amuser à le démontrer. Tout ce qui rompt l'unité sociale ne vaut rien. Toutes les institutions qui mettent l'homme en contradiction avec lui-même ne valent rien.

La seconde est bonne en ce qu'elle réunit le culte divin et l'amour des lois, et que, faisant de la patrie l'objet de l'adoration des Citoyens, elle leur apprend que servir l'État, c'est en servir le Dieu tutélaire[4]. C'est une espèce de théocratie, dans laquelle on ne doit point avoir d'autre pontife que le Prince, ni d'autres prêtres que les magistrats. Alors mourir pour son pays c'est aller au martyre, violer les lois, c'est être impie, et soumettre un coupable à l'exécration publique, c'est le dévouer au courroux des dieux ; *sacer esto*[5].

Mais elle est mauvaise en ce qu'étant fondée sur l'erreur et sur le mensonge[6] elle trompe les hommes, les rend crédules, superstitieux, et noie le vrai culte de la Divinité[7] dans un vain cérémonial. Elle est mauvaise encore quand, devenant exclusive et tyrannique, elle rend un peuple san-

---

1. « Le culte que Dieu demande est celui du cœur » *(Emile)*. Noter la ressemblance avec les « lois non écrites » d'*Antigone* de Sophocle ; 2. Le bouddhisme au Tibet ; 3. *Insociable :* impropre, voire nuisible à la société (cf. plus loin) ; 4. Comme dans l'antiquité ; 5. A la vertu et à la passion civique s'ajoute la foi religieuse ; *sacer esto :* sois maudit ! ; 6. Mais elle est « socialement vraie », pour un législateur opportuniste ; 7. De la religion naturelle.

guinaire et intolérant, en sorte qu'il ne respire que meurtre et massacre, et croit faire une action sainte en tuant quiconque n'admet pas ses dieux. Cela met un tel peuple dans un état naturel de guerre avec tous les autres, très nuisible à sa propre sécurité.

Reste donc la Religion de l'homme ou le Christianisme, non pas celui d'aujourd'hui, mais celui de l'Évangile, qui en est tout à fait différent. Par cette Religion sainte, sublime, véritable, les hommes, enfants du même Dieu, se reconnaissent tous pour frères, et la société qui les unit ne se dissout pas même à la mort[1].

Mais cette Religion n'ayant nulle relation particulière avec le corps politique laisse aux lois la seule force qu'elles tirent d'elles-mêmes sans leur en ajouter aucune autre[2], et par là un des grands liens de la société particulière[3] reste sans effet. Bien plus; loin d'attacher les cœurs des Citoyens à l'État, elle les en détache comme de toutes les choses de la terre : je ne connais rien de plus contraire à l'esprit social. On nous dit qu'un peuple de vrais Chrétiens formerait la plus parfaite société que l'on puisse imaginer. Je ne vois à cette supposition qu'une grande difficulté; c'est qu'une société de vrais chrétiens ne serait plus une société d'hommes[4].

Je dis même que cette société supposée ne serait avec toute sa perfection ni la plus forte ni la plus durable. A force d'être parfaite, elle manquerait de liaison; son vice destructeur serait dans sa perfection même.

Chacun remplirait son devoir; le peuple serait soumis aux lois, les chefs seraient justes et modérés, les magistrats intègres, incorruptibles, les soldats mépriseraient la mort, il n'y aurait ni vanité ni luxe : tout cela est fort bien, mais voyons plus loin.

Le Christianisme est une religion toute spirituelle, occupée uniquement des choses du Ciel; la patrie du Chrétien n'est pas de ce monde. Il fait son devoir, il est vrai, mais il le fait avec une profonde indifférence sur le bon ou mauvais succès de ses soins. Pourvu qu'il n'ait rien à se reprocher, peu lui importe que tout aille bien ou mal ici-bas. Si l'État

---

1. C'est donc, sous cette forme, une religion universelle; 2. Comme la démocratie, quoique parfaite, n'ajoutait guère de force à la volonté générale (livre III, chap. IV); 3. De la « société particulière » que devrait être toute religion utile; 4. La comparaison avec la démocratie est ici flagrante (v. livre III, chap. IV, *fin*).

est florissant, à peine ose-t-il jouir de la félicité publique, il craint de s'enorgueillir de la gloire de son pays; si l'État dépérit, il bénit la main de Dieu qui s'appesantit sur son peuple.

Pour que la société fût paisible et que l'harmonie se maintînt, il faudrait que tous les Citoyens sans exception fussent également bons chrétiens. Mais si malheureusement il s'y trouve un seul ambitieux, un seul hypocrite, un Catilina, par exemple, un Cromwell, celui-là très certainement aura bon marché de ses pieux compatriotes. La charité chrétienne ne permet pas aisément de penser mal de son prochain. Dès qu'il aura trouvé par quelque ruse l'art de leur en imposer et de s'emparer d'une partie de l'autorité publique, voilà un homme constitué en dignité; Dieu veut qu'on le respecte; bientôt voilà une puissance; Dieu veut qu'on lui obéisse; le dépositaire de cette puissance en abuse-t-il? C'est la verge dont Dieu punit ses enfants[1]. On se ferait conscience de chasser l'usurpateur : il faudrait troubler le repos public, user de violence, verser du sang : tout cela s'accorde mal avec la douceur du Chrétien; et après tout, qu'importe qu'on soit libre ou serf dans cette vallée de misères? L'essentiel est d'aller en paradis, et la résignation n'est qu'un moyen de plus pour cela.

Survient-il quelque guerre étrangère? Les Citoyens marchent sans peine au combat; nul d'entre eux ne songe à fuir; ils font leur devoir, mais sans passion pour la victoire[2]; ils savent plutôt mourir que vaincre. Qu'ils soient vainqueurs ou vaincus, qu'importe? La Providence ne sait-elle pas mieux qu'eux ce qu'il leur faut? Qu'on imagine quel parti un ennemi fier, impétueux, passionné, peut tirer de leur stoïcisme. Mettez vis-à-vis d'eux ces peuples généreux que dévorait l'ardent amour de la gloire et de la patrie, supposez votre république chrétienne vis-à-vis de Sparte ou de Rome : les pieux chrétiens seront battus, écrasés, détruits, avant d'avoir eu le temps de se reconnaître, ou ne devront leur salut qu'au mépris que leur ennemi concevra pour eux. C'était un beau serment à mon gré que celui des soldats de Fabius[3], ils ne jurèrent pas de mourir ou de vaincre, ils jurèrent de revenir vainqueurs, et tinrent leur

---

1. Critique visant Bossuet (cf. livre III, chap. VI, *fin*); 2. Or la passion fait les bons citoyens, a dit Rousseau; 3. Cf. Tite-Live, II, 45.

serment. Jamais des chrétiens n'en eussent fait un pareil; ils auraient cru tenter Dieu.

Mais je me trompe en disant une République Chrétienne; chacun de ces deux mots exclut l'autre. Le Christianisme ne prêche que servitude et dépendance. Son esprit est trop favorable à la tyrannie pour qu'elle n'en profite pas toujours. Les vrais Chrétiens sont faits pour être esclaves; ils le savent et ne s'en émeuvent guère; cette courte vie a trop peu de prix à leur yeux[1]. [...]

Mais, laissant à part les considérations politiques, revenons au droit, et fixons les principes sur ce point important. Le droit que le pacte social donne au Souverain sur les sujets ne passe point, comme je l'ai dit, les bornes de l'utilité publique. Les sujets ne doivent donc compte au Souverain de leurs opinions qu'autant que ces opinions importent à la communauté. Or, il importe bien à l'État que chaque Citoyen ait une Religion qui lui fasse aimer ses devoirs; mais les dogmes de cette Religion n'intéressent ni l'État ni ses membres qu'autant que ces dogmes se rapportent à la morale et aux devoirs que celui qui la professe est tenu de remplir envers autrui. Chacun peut avoir au surplus telles opinions qu'il lui plaît, sans qu'il appartienne au souverain d'en connaître. Car comme il n'a point de compétence dans l'autre monde, quel que soit le sort des sujets dans la vie à venir ce n'est pas son affaire, pourvu qu'ils soient bons citoyens dans celle-ci.

Il y a donc une profession de foi purement civile[2] dont il appartient au Souverain de fixer les articles, non pas précisément comme dogmes de religion, mais comme sentiments de sociabilité, sans lesquels il est impossible d'être bon Citoyen ni sujet fidèle. Sans pouvoir obliger personne à les croire, il peut bannir de l'État quiconque ne les croit pas; il peut le bannir, non comme impie, mais comme insociable, comme incapable d'aimer sincèrement les lois, la justice, et d'immoler au besoin sa vie à son devoir. Que si quelqu'un, après avoir reconnu publiquement ces mêmes dogmes, se conduit comme ne les croyant pas, qu'il soit

---

1. Reproche que reprendra Nietzsche, et qu'énonçait déjà Machiavel : « le christianisme, morale d'esclaves ». Il est intéressant assurément de confronter ce point de vue avec toutes les théories qui, au xixe et au xxe siècle, ont tenté de concilier la doctrine chrétienne avec la démocratie politique; **2.** Sorte de religion « minimum ».

puni de mort; il a commis le plus grand des crimes, il a menti devant les lois[1].

Les dogmes de la religion civile doivent être simples, en petit nombre, énoncés avec précision sans explications ni commentaires. L'existence de la Divinité puissante, intelligente, bienfaisante, prévoyante et pourvoyante, la vie à venir[2], le bonheur des justes, le châtiment des méchants, la sainteté du Contrat social et des Lois[3] : voilà les dogmes positifs. Quant aux dogmes négatifs, je les borne à un seul, c'est l'intolérance : elle rentre dans les cultes que nous avons exclus.

Ceux qui distinguent l'intolérance civile et l'intolérance théologique se trompent, à mon avis[4]. Ces deux intolérances sont inséparables. Il est impossible de vivre en paix avec des gens qu'on croit damnés; les aimer serait haïr Dieu qui les punit[5], il faut absolument qu'on les ramène ou qu'on les tourmente. Partout où l'intolérance théologique est admise, il est impossible qu'elle n'ait pas quelque effet civil, et sitôt qu'elle en a, le Souverain n'est plus Souverain, même au temporel[6]; dès lors les Prêtres sont les vrais maîtres; les Rois ne sont que leurs officiers.

Maintenant qu'il n'y a plus et qu'il ne peut plus y avoir de Religion nationale exclusive, on doit tolérer toutes celles qui tolèrent les autres, autant que leurs dogmes n'ont rien de contraire aux devoirs du Citoyen. Mais quiconque ose dire : *hors de l'Eglise, point de Salut*[7], doit être chassé de l'État, à moins que l'État ne soit l'Église, et que le Prince ne soit le Pontife. Un tel dogme n'est bon que dans un Gouvernement Théocratique; dans tout autre il est pernicieux. La raison sur laquelle on dit qu'Henri IV embrassa la Religion romaine la devrait faire quitter à tout honnête homme, et surtout à tout Prince qui saurait raisonner[8].

---

1. Le châtiment semble cruel; mais ce crime équivaut à la rupture du contrat social; « l'impie civil » est un ennemi public, tout comme l'homicide; 2. « Si Dieu existe, il est parfait, s'il est parfait, il est juste, puissant et juste; s'il est sage et puissant, tout est bien; s'il est juste et puissant, mon âme est immortelle » (Rousseau, *Lettre a Voltaire*); 3. La religion fonde surtout la morale et la société; 4. Critique dirigée contre Diderot *(Encyclopédie)* ; 5. On songe à la parole de l'Évangile : « Celui qui n'est pas avec moi est contre moi »; 6. Car il y a désormais deux États dans l'État, ce qui empêche tout jeu des lois normales; 7. La religion doit aider la volonté générale, et non la détruire; sinon on retombe dans l'état de guerre; 8. On rapporte qu'Henri IV se convertit au catholicisme après avoir entendu dire à un docte ur protestant qu'on pouvait être sauvé dans la religion catholique, alors que le catholique niait la réciproque. Il eût dû, selon Rousseau, choisir la religion la plus tolérante.

CHAPITRE IX

CONCLUSION

Après avoir posé les vrais[1] principes du droit politique et tâché de fonder l'État sur sa base, il resterait à l'appuyer par ses relations externes; ce qui comprendrait le droit des gens, le commerce, le droit de la guerre et les conquêtes, le droit public, les ligues, les négociations, les traités, etc. Mais tout cela forme un nouvel objet trop vaste pour ma courte vue; j'aurais dû la fixer toujours plus près de moi[2].

1. Légitimes; ceux qui peuvent *justifier* l'état social; **2.** Cf. l' « Avertissement », en tête du *Contrat social*.

DOCUMENTATION THÉMATIQUE
réunie par la Rédaction des Nouveaux Classiques Larousse

1. J.-J. ROUSSEAU ET DIDEROT

1.1. DIDEROT, *DROIT NATUREL* (ARTICLE DE L'*ENCYCLOPÉDIE*)

L'usage de ce mot est si familier qu'il n'y a presque personne qui ne soit convaincu au-dedans de soi-même que la chose lui est évidement connue. Ce sentiment intérieur est commun au philosophe et à l'homme qui n'a point réfléchi ; avec cette seule différence qu'à la question : *qu'est-ce que le droit ?* Celui-ci, manquant aussitôt et de termes et d'idées, vous renvoie au tribunal de la conscience et reste muet ; et que le premier n'est réduit au silence et à des réflexions plus profondes qu'après avoir tourné dans un cercle vicieux qui le ramène au point même d'où il était parti, ou le jette dans quelque autre question non moins difficile à résoudre que celle dont il se croyait débarrassé par sa définition.

Le philosophe interrogé dit : *le droit est le fondement ou la raison première de la justice.* Mais qu'est-ce que la justice ? *C'est l'obligation de rendre à chacun ce qui lui appartient.* Mais qu'est-ce qui appartient à l'un plutôt qu'à l'autre dans un état de choses où tout serait à tous, et où peut-être l'idée distincte d'obligation n'existerait pas encore ? et que devrait aux autres celui qui leur permettrait tout, et ne leur demanderait rien ? C'est ici que le philosophe commence à sentir que de toutes les notions de la morale, celle du *droit naturel* est une des plus importantes et des plus difficiles à déterminer. Aussi croirions-nous avoir fait beaucoup dans cet article, si nous réussissions à établir clairement quelques principes à l'aide desquels on pût résoudre les difficultés les plus considérables qu'on a coutume de proposer contre la notion de *droit naturel.* Pour cet effet, il est nécessaire de reprendre les choses de haut et de ne rien avancer qui ne soit évident, du moins de cette évidence dont les questions morales sont susceptibles, et qui satisfait tout homme censé.

1. Il est évident que si l'homme n'est pas libre, ou que ses déterminations instantanées, ou même ses oscillations, naissant de quelque chose de matériel qui soit extérieur à son âme, son choix n'est point l'acte pur d'une substance incorporelle et d'une faculté simple de cette substance, il n'y aura ni bonté ni méchanceté raisonnées, quoiqu'il puisse y avoir bonté et méchanceté animales ; il n'y aura ni bien ni mal moral, ni juste ni injuste, ni obligation ni droit. D'où l'on voit, pour le dire en passant, combien il importe d'établir solidement la réalité, je ne dis pas du *volontaire,* mais de la

liberté qu'on ne confond que trop ordinairement avec le *volontaire*.

2. Nous existons d'une existence pauvre, contentieuse, inquiète. Nous avons des passions et des besoins. Nous voulons être heureux ; et à tout moment l'homme injuste et passionné se sent porté à faire à autrui ce qu'il ne voudrait pas qu'on lui fît à lui-même. C'est un jugement qu'il prononce au fond de son âme, et qu'il ne peut se dérober. Il voit sa méchanceté, et il faut qu'il se l'avoue, ou qu'il accorde à chacun la même autorité qu'il s'arroge.

3. Mais quels reproches pourrons-nous faire à l'homme tourmenté par des passions si violentes, que la vie même lui devient un poids onéreux s'il ne les satisfait, et qui, pour acquérir le droit de disposer de l'existence des autres, leur abandonne la sienne ? Que lui répondrons-nous, s'il dit intrépidement : « Je sens que je porte l'épouvante et le trouble au milieu de l'espèce humaine ; mais il faut ou que je sois malheureux ou que je fasse le malheur des autres ; et personne ne m'est plus cher que je me le suis à moi-même. Qu'on ne me reproche point cet abominable prédilection ; elle n'est pas libre. C'est la voix de la nature qui ne s'explique jamais plus fortement en moi que quand elle me parle en ma faveur. Mais n'est-ce pas dans mon cœur qu'elle se fait entendre avec la même violence ? O hommes ! C'est à vous que j'en appelle : Quel est celui d'entre vous qui, sur le point de mourir, ne rachèterait pas sa vie aux dépens de la plus grande partie du genre humain, s'il était sûr de l'impunité et du secret ? Mais, continuera-t-il, je suis équitable et sincère. Si mon bonheur demande que je me défasse de toutes les existences qui me seront importunes, il faut aussi qu'un individu, quel qu'il soit, puisse se défaire de la mienne s'il en est importuné. La raison le veut, et j'y souscris. Je ne suis pas assez injuste pour exiger d'un autre un sacrifice que je ne veux point lui faire. »

4. J'aperçois d'abord une chose qui me semble avouée par le bon et par le méchant, c'est qu'il faut raisonner en tout, parce que l'homme n'est pas seulement un animal, mais un animal qui raisonne ; qu'il y a par conséquent dans la question dont il s'agit des moyens de découvrir la vérité ; que celui qui refuse de la chercher renonce à la qualité d'homme, et doit être traité par le reste de son espèce comme une bête farouche ; et que la vérité une fois découverte, quiconque refuse de s'y conformer est insensé ou méchant d'une méchanceté morale.

5. Que répondrons-nous donc à notre raisonneur violent, avant que de l'étouffer ? Que tout son discours se réduit à

savoir s'il acquiert un droit sur l'existence des autres en leur abandonnant la sienne ; car il ne veut pas seulement être heureux, il veut encore être équitable, et par son équité écarter loin de lui l'épithète de *méchant;* sans quoi il faudrait l'étouffer sans lui répondre. Nous lui ferons donc remarquer que quand bien même ce qu'il abandonne lui appartiendrait si parfaitement qu'il en pût disposer à son gré, et que la condition qu'il propose aux autres leur serait encore avantageuse, il n'a aucune autorité légitime pour la leur faire accepter ; que celui qui dit : *je veux vivre,* a autant de raison que celui qui dit : *je veux mourir;* que celui-ci n'a qu'une vie et qu'en l'abandonnant, il se rend maître d'une infinité de vies : que son échange serait à peine équitable, quand il n'y aurait que lui et un autre méchant sur toute la surface de la terre ; qu'il est absurde de faire vouloir à d'autres ce qu'on veut, qu'il est incertain que le péril qu'il fait courir à son semblable soit égal à celui auquel il veut bien s'exposer ; que ce qu'il permet au hasard peut n'être pas d'un prix disproportionné à ce qu'il me force de hasarder ; que la question du *droit naturel* est beaucoup plus compliquée qu'elle ne lui paraît ; qu'il se constitue juge et partie, et que son tribunal pourrait bien n'avoir pas la compétence dans cette affaire.

6. Mais si nous ôtions à l'individu le droit de décider de la nature du juste et de l'injuste, où porterons-nous cette grande question ? Où ? Devant le genre humain ; c'est à lui seul qu'il appartient de la décider, parce que le bien de tous est la seule passion qu'il ait. Les volontés particulières sont suspectes ; elles peuvent être bonnes ou méchantes, mais la volonté générale est toujours bonne ; elle n'a jamais trompé, elle ne trompera jamais. Si les animaux étaient d'un ordre à peu près égal au nôtre, s'il y avait des moyens sûrs de communication entre eux et nous ; s'ils pouvaient nous transmettre évidemment leurs sentiments et leurs pensées, et connaître les nôtres avec la même évidence ; en un mot, s'ils pouvaient voter dans une assemblée générale, il faudrait les y appeler ; et la cause du *droit naturel* ne se plaiderait plus par devant *l'humanité,* mais par devant *l'animalité.* Mais les animaux sont séparés de nous par des barrières invariables et éternelles ; et il s'agit ici d'un ordre de connaissances et d'idées particulières à l'espèce humaine, qui émanent de sa dignité et qui la constituent.

7. C'est à la volonté générale que l'individu doit s'adresser pour savoir jusqu'où il doit être homme, citoyen, sujet, père, enfant, et quand il lui convient de vivre ou de mourir. C'est à elle à fixer les limites de tous les devoirs. Vous avez le *droit naturel* le plus sacré à tout ce qui ne vous est point contesté

par l'espèce entière. C'est elle qui vous éclairera sur la nature de vos pensées et de vos désirs. Tout ce que vous concevrez, tout ce que vous méditerez sera bon, grand, élevé, sublime, s'il est de l'intérêt général et commun. Il n'y a de qualité essentielle à votre espèce que celle que vous exigez dans tous vos semblables pour votre bonheur et pour le leur. C'est cette conformité de vous à eux tous et d'eux tous à vous qui vous marquera quand vous sortirez de votre espèce, et quand vous y resterez. Ne la perdez donc jamais de vue, sans quoi vous verrez les notions de la bonté, de la justice, de l'humanité, de la vertu, chanceler dans votre entendement. Dites-vous souvent : « Je suis homme, et je n'ai d'autres *droits naturels* véritablement inaliénables que ceux de l'humanité. »

8. Mais, me direz-vous, où est le dépôt de cette volonté générale ; où pourrai-je la consulter ?... Dans les principes du droit écrit de toutes les nations policées ; dans les actions sociales des peuples sauvages et barbares ; dans les conventions tacites des ennemis du genre humain entre eux, et même dans l'indignation et le ressentiment, ces deux passions que la nature semble avoir placées jusque dans les animaux pour suppléer au défaut des lois sociales et de la vengeance publique.

9. Si vous méditez donc attentivement tout ce qui précède, vous resterez convaincu ; 1° que l'homme qui n'écoute que sa volonté particulière est l'ennemi du genre humain ; 2° que la volonté générale est dans chaque individu un acte pur de l'entendement qui raisonne dans le silence des passions sur ce que l'homme peut exiger de son semblable, et sur ce que son semblable est en droit d'exiger de lui ; 3° que cette considération de la volonté générale de l'espèce et du désir commun est la règle de la conduite relative d'un particulier à un particulier dans la même société, d'un particulier envers la société dont il est membre, et de la société dont il est membre envers les autres sociétés ; 4° que la soumission à la volonté générale est le lien de toutes les sociétés, sans en excepter celles qui sont formées par le crime. Hélas ! la vertu est si belle, que les voleurs en respectent l'image dans le fond même de leurs cavernes ! 5° que les lois doivent être faites pour tous et non pour un ; autrement cet être solitaire ressemblerait au raisonneur violent que nous avons étouffé dans le paragraphe 5 ; 6° que, puisque des deux volontés, l'une générale et l'autre particulière, la volonté générale n'erre jamais, il n'est pas difficile de voir à laquelle il faudrait, pour le bonheur du genre humain, que la puissance législative appartînt, et quelle vénération l'on doit aux mortels augustes dont la volonté particulière réunit et l'autorité et

l'infaillibilité de la volonté générale ; 7° que quand on supposerait la notion des espèces dans un flux perpétuel, la nature du *droit naturel* ne changerait pas, puisqu'elle serait toujours relative à la volonté générale et au désir commun de l'espèce entière ; 8° que l'équité est à la justice comme la cause est à son effet, ou que la justice ne peut être autre chose que l'équité déclarée.

1.2. DIDEROT, *AUTORITÉ POLITIQUE*

Aucun homme n'a reçu de la nature le droit de commander aux autres. La liberté est un présent du ciel, et chaque individu de la même espèce a le droit d'en jouir aussitôt qu'il jouit de la raison. Si la nature a établi quelque *autorité,* c'est la puissance paternelle ; mais la puissance paternelle a ses bornes, et dans l'état de nature elle finirait aussitôt que les enfants seraient en état de se conduire. Toute autre *autorité* vient d'une autre origine que de la nature. Qu'on examine bien, et on la fera toujours remonter à l'une de ces deux sources : ou la force et la violence de celui qui s'en est emparé, ou le consentement de ceux qui s'y sont soumis par un contrat fait ou supposé entre eux et celui à qui ils ont déféré l'*autorité.*

La puissance qui s'acquiert par la violence n'est qu'une usurpation, et ne dure qu'autant que la force de celui qui commande l'emporte sur celle de ceux qui obéissent ; en sorte que si ces derniers deviennent à leur tour les plus forts et qu'ils secouent le joug, ils le font avec autant de droit et de justice que l'autre qui le leur avait imposé. La même loi qui a fait l'*autorité,* la défait alors : c'est la loi du plus fort. Quelquefois l'*autorité* qui s'établit par la violence change de nature : c'est lorsqu'elle continue et se maintient du consentement exprès de ceux qu'on a soumis ; mais elle rentre par là dans la seconde espèce dont je vais parler ; et celui qui se l'était arrogée, devenant alors prince, cesse d'être tyran.

La puissance qui vient du consentement des peuples suppose nécessairement des conditions qui en rendent l'usage légitime, utile à la société, avantageux à la république, et qui la fixent et la restreignent entre des limites ; car l'homme ne doit ni ne peut se donner entièrement et sans réserve à un autre homme, parce qu'il a un maître supérieur au-dessus de tout, à qui seul il appartient tout entier. C'est Dieu, dont le pouvoir est toujours immédiat sur la créature, maître aussi jaloux qu'absolu, qui ne perd jamais de ses droits, et ne les communique point. Il permet, pour le bien commun et pour le maintien de la société, que les hommes établissent entre eux un ordre de subordination, qu'ils obéissent à l'un d'eux ;

mais il veut que ce soit par raison et avec mesure, et non pas aveuglément et sans réserve, afin que la créature ne s'arroge pas les droits du créateur. Toute autre soumission est le véritable crime d'idolâtrie. Fléchir le genou devant un homme ou devant une image n'est qu'une cérémonie extérieure, dont le vrai Dieu qui demande le cœur et l'esprit ne se soucie guère, et qu'il abandonne à l'institution des hommes pour en faire, comme il leur conviendra, des marques d'un culte civil et politique, ou d'un culte de religion. Ainsi ce ne sont point ces cérémonies en elles-mêmes, mais l'esprit de leur établissement qui en rend la pratique innocente ou criminelle. Un Anglais n'a point de scrupule à servir le roi le genou en terre; le cérémonial ne signifie que ce qu'on a voulu qu'il signifiât; mais livrer son cœur, son esprit et sa conduite sans aucune réserve à la volonté et au caprice d'une pure créature, en faire l'unique et le dernier motif de ses actions, c'est assurément un crime de lèse-majesté divine au premier chef : autrement ce pouvoir de Dieu, dont on parle tant, ne serait qu'un vain bruit dont la politique humaine userait à sa fantaisie, et dont l'esprit d'irréligion pourrait se jouer à son tour; de sorte que toutes les idées de puissance et de subordination venant à se confondre, le prince se jouerait de Dieu, et le sujet du prince.

La vraie et légitime puissance a donc nécessairement des bornes. Aussi l'Ecriture nous dit-elle : « Que votre soumission soit raisonnable », *sit rationabile obsequium vestrum.* « Toute puissance qui vient de Dieu est une puissance réglée », *omnis potestas a Deo ordinata est.* Car c'est ainsi qu'il faut entendre ces paroles, conformément à la droite raison et au sens littéral, et non conformément à l'interprétation de la bassesse et de la flatterie, qui prétendent que toute puissance, quelle qu'elle soit, vient de Dieu. Quoi donc, n'y a-t-il point de puissances injustes ? n'y a-t-il pas des *autorités* qui, loin de venir de Dieu, s'établissent contre ses ordres et contre sa volonté ? les usurpateurs ont-ils Dieu pour eux ? faut-il obéir en tout aux persécuteurs de la vraie religion ? et pour fermer la bouche à l'imbécillité, la puissance de l'Antéchrist sera-t-elle légitime ? Ce sera pourtant une grande puissance. Enoch et Elie, qui lui résisteront, seront-ils des rebelles et des séditieux qui auront oublié que toute puissance vient de Dieu, ou des hommes raisonnables, fermes et pieux, qui sauront que toute puissance cesse de l'être dès qu'elle sort des bornes que la raison lui a prescrites, et qu'elle s'écarte des règles que le souverain des princes et des sujets a établies; des hommes enfin qui penseront, comme saint Paul, que toute puissance n'est de Dieu qu'autant qu'elle est juste et réglée?

Le prince tient de ces sujets mêmes l'*autorité* qu'il a sur eux ; et cette *autorité* est bornée par les lois de la nature et de l'Etat. Les lois de la nature et de l'Etat sont les conditions sous lesquelles ils se sont soumis, ou sont censés s'être soumis à son gouvernement. L'une de ces conditions est que n'ayant de pouvoir et d'*autorité* sur eux que par leur choix et de leur consentement, il ne peut jamais employer cette *autorité* pour casser l'acte ou le contrat par lequel elle lui a été déférée : il agirait, dès lors, contre lui-même, puisque son *autorité* ne peut subsister que par le titre qui l'a établie. Qui annule l'un détruit l'autre. Le prince ne peut donc pas disposer de son pouvoir et de ses sujets sans le consentement de la nation, et indépendamment du choix marqué dans le contrat de soumission. S'il en usait autrement, tout serait nul, et les lois le relèveraient des promesses et des serments qu'il aurait pu faire, comme un mineur qui aurait agi sans connaissance de cause, puisqu'il aurait prétendu disposer de ce qu'il n'avait qu'en dépôt et avec clause de substitution, de la même manière que s'il l'avait eu en toute propriété et sans aucune condition.

D'ailleurs le gouvernement, quoique héréditaire dans une famille, et mis entre les mains d'un seul, n'est pas un bien particulier, mais un bien public, qui par conséquent ne peut jamais être enlevé au peuple, à qui seul il appartient essentiellement et en pleine propriété. Aussi est-ce toujours lui qui en fait le bail : il intervient toujours dans le contrat qui en adjuge l'exercice. Ce n'est pas l'Etat qui appartient au prince, c'est le prince qui appartient à l'Etat ; mais il appartient au prince de gouverner dans l'Etat, parce que l'Etat l'a choisi pour cela, qu'il s'est engagé envers les peuples à l'administration des affaires, et que ceux-ci de leur côté se sont engagés à lui obéir conformément aux lois. Celui qui porte la couronne peut bien s'en décharger absolument s'il le veut ; mais il ne peut la remettre sur la tête d'un autre sans le consentement de la nation qui l'a mise sur la sienne. En un mot, la couronne, le gouvernement, et l'*autorité* publique sont des biens dont le corps de la nation est propriétaire, et dont les princes sont les usufruitiers, les ministres et les dépositaires. Quoique chefs de l'Etat, ils n'en sont pas moins membres, à la vérité les premiers, les plus vénérables et les plus puissants, pouvant tout pour gouverner, mais ne pouvant rien légitimement pour changer le gouvernement établi, ni pour mettre un autre chef à leur place. Le sceptre de Louis XV passe nécessairement à son fils aîné, et il n'y a aucune puissance qui puisse s'y opposer : ni celle de la nation, parce que c'est la condition du contrat, ni celle de son père, par la même raison.

Le dépôt de l'*autorité* n'est quelquefois que pour un temps limité, comme dans la république romaine. Il est quelquefois pour la vie d'un seul homme, comme en Pologne ; quelquefois pour tout le temps que subsistera une famille, comme en Angleterre ; quelquefois pour le temps que subsistera une famille, par les mâles seulement, comme en France.

Ce dépôt est quelquefois confié à un certain ordre dans la société ; quelquefois à plusieurs choisis de tous les ordres, et quelquefois à un seul.

Les conditions de ce pacte sont différentes dans les différents Etats. Mais partout la nation est en droit de maintenir envers et contre tous le contrat qu'elle a fait ; aucune puissance ne peut le changer ; et quand il n'a plus lieu, elle rentre dans le droit et dans la pleine liberté d'en passer un nouveau avec qui et comme il lui plaît. C'est ce qui arriverait en France, si, par le plus grand des malheurs, la famille entière régnante venait à s'éteindre jusque dans ses moindres rejetons ; alors le sceptre et la couronne retourneraient à la nation.

Il semble qu'il n'y ait que des esclaves dont l'esprit serait aussi borné que le cœur serait bas qui pussent penser autrement. Ces sortes de gens ne sont nés ni pour la gloire du prince ni pour l'avantage de la société : ils n'ont ni vertu ni grandeur d'âme. La crainte et l'intérêt sont les ressorts de leur conduite. La nature ne les produit que pour servir de lustre aux hommes vertueux ; et la Providence s'en sert pour former les puissances tyranniques, dont elle châtie pour l'ordinaire les peuples et les souverains qui offensent Dieu ; ceux-ci en usurpant, ceux-là en accordant trop à l'homme de ce pouvoir suprême que le Créateur s'est réservé sur la créature.

L'observation des lois, la conservation de la liberté et l'amour de la patrie sont les sources fécondes de toutes grandes choses et de toutes belles actions. Là, se trouvent le bonheur des peuples, et la véritable illustration des princes qui les gouvernent. Là, l'obéissance est glorieuse, et le commandement auguste. Au contraire, la flatterie, l'intérêt particulier, et l'esprit de servitude sont l'origine de tous les maux qui accablent un Etat, et de toutes les lâchetés qui le déshonorent. Là, les sujets sont misérables, et les princes haïs ; là, le monarque ne s'est jamais entendu proclamer *le bien-aimé ;* la soumission y est honteuse, et la domination cruelle. Si je rassemble sous un même point de vue la France et la Turquie, j'aperçois d'un côté une société d'hommes que la raison unit, que la vertu fait agir, et qu'un chef également sage et glorieux gouverne selon les lois de la justice ; de l'autre, un troupeau d'animaux que l'habitude assemble, que la loi de la verge fait marcher, et qu'un maître absolu mène selon son caprice.

Mais pour donner aux principes répandus dans cet article toute l'*autorité* qu'ils peuvent recevoir, appuyons-les du témoignage d'un de nos plus grands rois. Le discours qu'il tint à l'ouverture de l'assemblée des notables en 1596, plein d'une sincérité que les souverains ne connaissent guère, était bien digne des sentiments qu'il y porta. « Persuadé, dit M. de Sully, que les rois ont deux souverains, Dieu et la loi ; que la justice doit présider sur le trône, et que la douceur doit être assise à côté d'elle ; que Dieu étant le vrai propriétaire de tous les royaumes, et les rois n'en étant que les administrateurs, ils doivent représenter aux peuples celui dont ils tiennent la place : qu'ils ne régneront comme lui, qu'autant qu'ils régneront en pères ; que dans les Etats monarchiques héréditaires, il y a une erreur qu'on peut appeler aussi *héréditaire,* c'est que le souverain est maître de la vie et des biens de tous ses sujets, que moyennant ces quatre mots : *tel est notre plaisir,* il est dispensé de manifester les raisons de sa conduite, ou même d'en avoir ; que quand cela serait, il n'y a point d'imprudence pareille à celle de se faire haïr de ceux auxquels on est obligé de confier à chaque instant sa vie, et que c'est tomber dans ce malheur que d'emporter tout de vive force. Ce grand homme, persuadé, dis-je, de ces principes que tout l'artifice du courtisan ne bannira jamais du cœur de ceux qui lui ressembleront, déclara que, pour éviter tout air de violence et de contrainte, il n'avait pas voulu que l'assemblée se fît par des députés nommés par le souverain, et toujours aveuglément asservis à toutes ses volontés ; mais que son intention était qu'on y admît librement toutes sortes de personnes, de quelque état et condition qu'elles pussent être, afin que les gens de savoir et de mérite eussent le moyen d'y proposer sans crainte ce qu'ils croiraient nécessaire pour le bien public ; qu'il ne prétendait encore en ce moment leur prescrire aucunes bornes ; qu'il leur enjoignait seulement de ne pas abuser de cette permission pour l'abaissement de l'*autorité* royale, qui est le principal nerf de l'Etat ; de rétablir l'union entre ses membres ; de soulager les peuples ; de décharger le trésor royal de quantité de dettes, auxquelles il se voyait sujet, sans les avoir contractées ; de modérer avec la même justice les pensions excessives, sans faire tort aux nécessaires, enfin d'établir pour l'avenir un fonds suffisant et clair pour l'entretien des gens de guerre. Il ajouta qu'il n'aurait aucune peine à se soumettre à des moyens qu'il n'aurait point imaginés lui-même, d'abord qu'il sentirait qu'ils avaient été dictés par un esprit d'équité et de désintéressement ; qu'on ne le verrait point chercher dans son âge, dans son expérience et dans ses qualités personnelles, un prétexte bien moins frivole que celui dont les princes ont coutume de se servir pour éluder les règlements; qu'il montrerait au contraire, par son exemple, qu'ils ne regardent pas moins les rois, pour les faire observer, que les sujets, pour s'y soumettre. *Si je faisais gloire*, continua-t-il, *de passer pour un excellent orateur, j'aurais apporté ici plus de belles paroles que de bonne volonté; mais mon ambition tend à quelque chose de plus haut que de bien parler. J'aspire au glorieux titre de libéra-teur et de restaurateur de la France. Je ne vous ai point ici appelés, comme faisaient mes prédécesseurs, pour vous obliger d'approuver aveuglément mes volontés; je vous ai fait assembler pour recevoir vos conseils, pour les croire, pour les suivre; en un mot, pour me mettre en tutelle entre vos mains. C'est une envie qui ne prend guère aux rois, aux barbes grises et aux victorieux comme moi; mais l'amour que je porte à mes sujets, et l'extrême désir que j'ai de conserver mon Etat, me font trouver tout facile et tout honorable.* »

« Ce discours achevé, Henri se leva et sortit, ne laissant que M. de Sully dans l'assemblée, pour y communiquer les états, les mémoires et les papiers dont on pouvait avoir besoin. »

On n'ose proposer cette conduite pour modèle, parce qu'il y a des occasions où les princes peuvent avoir moins de défé-rence, sans toutefois s'écarter des sentiments qui font que le souverain dans la société se regarde comme le père de famille, et ses sujets comme ses enfants. Le grand monarque que nous venons de citer nous fournira encore l'exemple de cette sorte de douceur mêlée de fermeté, si requise dans les occasions où la raison est si visiblement du côté du souverain qu'il a droit d'ôter à ses sujets la liberté du choix, et de ne leur laisser que le parti de l'obéissance. L'édit de Nantes ayant été vérifié, après bien des difficultés du parlement, du clergé et de l'université, Henri IV dit aux évêques : « Vous m'avez exhorté de mon devoir; je vous exhorte du vôtre. Faisons bien à l'envi les uns des autres. Mes prédécesseurs vous ont donné de belles paroles; mais moi, avec ma jaquette, je vous donnerai de bons effets : je verrai vos cahiers, et j'y répondrai le plus favorablement qu'il me sera possible. » Et il répondit au parlement qui était venu lui faire des remontrances. « Vous me voyez en mon cabinet où je viens vous parler, non pas en habit royal, ni avec l'épée et la cape, comme mes prédécesseurs, mais vêtu comme un père de famille, en pourpoint, pour parler familièrement à ses enfants. Ce que j'ai à vous dire est que je vous prie de vérifier l'édit que j'ai accordé à ceux de la religion. Ce que j'en ai fait est pour le bien de la paix. Je l'ai faite au dehors, je veux la faire au dedans de mon royaume. » Après leur avoir exposé les raisons qu'il avait eues de faire l'édit, il ajouta : « Ceux qui empêchent que mon édit ne passe veulent la guerre ; je la déclarerai demain à ceux de la religion ; mais je ne la ferai pas ; je les y enverrai. J'ai fait l'édit ; je veux qu'il s'observe. Ma volonté devrait servir de raison ; on ne la demande jamais au prince dans un Etat obéissant. Je suis roi. Je vous parle en roi. Je veux être obéi. »

Voilà comment il convient à un monarque de parler à ses sujets, quand il a évidemment la justice de son côté : et pourquoi ne pourrait-il pas ce que peut tout homme qui a l'équité de son côté ? Quant aux sujets, la première loi que la religion, la raison et la nature leur imposent, est de respecter eux-mêmes les conditions du contrat qu'ils ont fait, de ne jamais perdre de vue la nature de leur gouvernement ; en France, de ne point oublier que tant que la famille régnante subsistera par les mâles, rien ne les dispensera jamais de l'obéissance ; d'honorer et de craindre leur maître, comme celui par lequel ils ont voulu que l'image de Dieu leur soit présente et visible sur la terre ; d'être encore attachés à des sentiments par un motif de reconnaissance de la tranquillité et des biens dont ils jouissent à l'abri du nom royal ; si jamais il leur arrivait d'avoir un roi injuste, ambitieux et violent, de n'opposer au malheur qu'un seul remède, celui de l'apaiser par leur soumission, et de fléchir Dieu par leurs prières ; parce que ce remède est le seul qui soit légitime, en conséquence du contrat de soumission juré au prince régnant anciennement, et à ses descendants par les mâles, quels qu'ils puissent être ; et de considérer que tous ces motifs qu'on croit avoir de résister ne sont, à les bien examiner, qu'autant de prétextes d'infidélités subtilement colorées ; qu'avec cette conduite, on n'a jamais corrigé les princes, ni aboli les impôts, et qu'on a seulement ajouté aux malheurs dont on se plaignait déjà un nouveau degré de misère. Voilà les fondements sur lesquels les peuples et ceux qui les gouvernent pourraient établir leur bonheur réciproque.

2. LA PREMIÈRE VERSION DU *CONTRAT SOCIAL*
(texte en orthographe originale)

2.1. « LA SOCIÉTÉ GÉNÉRALE DU GENRE HUMAIN »

Ce passage, qui réfute le texte de Diderot donné en **1.1.** aurait été supprimé par Rousseau parce qu'il se révélait contradictoire avec sa théorie d'ensemble.

Commençons par rechercher d'où naît la nécessité des institutions politiques.

La force de l'homme est tellement proportionnée à ses besoins naturels et à son état primitif, que pour peu que cet état change et que ses besoins augmentent, l'assistance de ses semblables lui devient nécessaire, et, quand enfin ses désirs embrassent toute la nature, le concours de tout le genre humain suffit à peine pour les assouvir. C'est ainsi que les mêmes causes qui nous rendent méchans nous rendent encore esclaves, et nous asservissent en nous dépravant ; Le sentiment de nôtre foiblesse vient moins de nôtre nature, que de nôtre cupidité : nos besoins nous rapprochent à mesure que nos passions nous divisent, et plus nous devenons ennemis de nos semblables moins nous pouvons nous passer d'eux. Tels sont les prémiers liens de la société générale ; tels sont les fondemens de cette bienveuillance universelle dont la nécessité reconnüe semble étouffer le sentiment, et dont chacun voudroit recueillir le fruit, sans être obligé de la cultiver : car quand à l'identité de nature, son effet est nul en cela, parce qu'elle est autant pour les hommes un sujet de querelle que d'union, et met aussi souvent entre eux la concurrence et la jalousie que la bonne intelligence et l'accord.

De ce nouvel ordre de choses naissent des multitudes de rapports sans mesure, sans régle, sans consistence, que les hommes altérent et changent continuellement, cent travaillant à les détruire pour un qui travaille à les fixer ; et comme l'existence relative d'un homme dans l'état de nature dépend de mille autres rapports qui sont dans un flux continuel, il ne peut jamais s'assurer d'être le même durant deux instants de sa vie ; la paix et le bonheur ne sont pour lui qu'un éclair ; rien n'est permanent que la misére qui resulte de toutes ces vicissitudes ; quand ses sentimens et ses idées pourroient s'élever jusqu'à l'amour de l'ordre et aux notions sublimes de la vertu, il lui seroit impossible de faire jamais une application sure de ses principes dans un état de choses qui ne lui laisseroit discerner ni le bien ni le mal, ni l'honnête homme ni le méchant.

La société générale telle que nos besoins mutuels peuvent l'engendrer n'offre donc point une assistance efficace à l'homme devenu misérable, ou du moins elle ne donne de nouvelles forces qu'à celui qui en a déjà trop, tandis que le foible, perdu, étouffé, écrasé dans la multitude, ne trouve nul azile où se refugier, nul support à sa foiblesse, et périt enfin victime de cette union trompeuse dont il attendoit son bonheur.

[Si l'on est une fois convaincu que dans les motifs qui portent les hommes à s'unir entre eux par des liens volontaires il n'y a rien qui se rapporte au point de réunion; que loin de se proposer un but de félicité commune d'où chacun put tirer la sienne, le bonheur de l'un fait le malheur d'un autre; si l'on voit enfin qu'au lieu de tendre tous au bien général, ils ne se rapprochent entre eux que parce que tous s'en éloignent; on doit sentir aussi que quand même un tel état pourroit subsister il ne seroit qu'une source de crimes et de misères pour des hommes dont chacun ne verroit que son intérest, ne suivroit que ses penchans et n'écouteroit que ses passions].

Ainsi la douce voix de la nature n'est plus pour nous un guide infaillible, ni l'indépendance que nous avons receu d'elle un état desirable; la paix et l'innocence nous ont échappé pour jamais avant que nous en eussions gouté les délices; insensible aux stupides hommes des prémiers tems, échappée aux hommes éclairés des tems postérieurs, l'heureuse vie de l'âge d'or fut toujours un état étranger à la race humaine, ou pour l'avoir méconnu quand elle en pouvoit joüir, ou pour l'avoir perdu quand elle auroit pu le connoître. Il y a plus encore; cette parfaite indépendance et cette liberté sans régle, fut-elle même démeurée jointe à l'antique innocence, auroit eu toujours un vice essentiel, et nuisible au progrés de nos plus excellentes facultés, savoir le défaut de cette liaison des parties qui constitue le tout. La terre seroit couverte d'hommes entre lesquels il n'y auroit presque aucune communication; nous nous toucherions par quelques points, sans être unis par aucun; chacun resteroit isolé parmi les autres, chacun ne songeroit qu'à soi; nôtre entendement ne sauroit se développer; nous vivrions sans rien sentir, nous mourrions sans avoir vécu; tout nôtre bonheur consisteroit à ne pas connoitre notre misére; il n'y auroit ni bonté dans nos cœurs ni moralité dans nos actions, et nous n'aurions jamais gouté le plus délicieux sentiment de l'ame, qui est l'amour de la vertu.

[Il est certain que le mot de *genre humain* n'offre à l'esprit qu'une idée purement collective qui ne suppose aucune union reelle entre les individus qui le constituent : Ajoutons y, si l'on veut cette Supposition; concevons le genre humain comme une personne morale ayant avec un sentiment d'existence commune qui lui donne l'individualité et la constitue une, un mobile universel qui fasse agir chaque partie pour une fin génerale et relative au tout. Concevons que ce sentiment commun soit celui de l'humanité et que la loi naturelle soit le principe actif de toute la machine. Observons ensuite ce qui resulte de la constitution de l'homme dans ses rapports avec ses semblables; et, tout au contraire de ce que nous avons supposé, nous trouverons que le progrés de la société étouffe l'humanité dans les cœurs, en eveillant l'intérest personnel, et que les notions de la Loi naturelle, qu'il faudroit plustot appeler la loi de raison, ne commencent à se développer que quand le developpement antérieur des passions rend impuissans tous ses preceptes. Par où l'on voit que ce prétendu traitté social dicté par la nature est une véritable chimére ; puisque les conditions en sont toujours inconnues ou impraticables, et qu'il faut necessairement les ignorer ou les enfreindre.

Si la société générale existoit ailleurs que dans les sistémes des Philosophes, elle seroit, comme je l'ai dit, un Etre moral qui aurait des qualités propres et distinctes de celles des Etres particuliers qui la constitüent, à peu près comme les composés chymiques ont des proprietés qu'ils ne tiennent d'aucun des mixtes qui les composent : Il y auroit une langue universelle que la nature apprendroit à tous les hommes, et qui seroit le premier instrument de leur mutuelle communication : Il y auroit une sorte de sensorium commun qui serviroit à la correspondance de toutes les parties ; le bien ou le mal public ne seroit pas seulement la somme des biens ou des maux particuliers comme dans une simple aggrégation, mais il résideroit dans la liaison qui les unit, il seroit plus grand que cette somme, et loin que la félicité publique fut établie sur le bonheur des particuliers, c'est elle qui en seroit la source].

Il est faux que dans l'état d'independance, la raison nous porte à concourir au bien commun par la vüe de nôtre propre intérest ; loin que l'intérest particulier s'allie au bien général, ils s'excluent l'un l'autre dans l'ordre naturel des choses, et les loix sociales sont un joug que chacun veut bien imposer aux autres, mais non pas s'en charger lui même. « Je sens que je porte l'épouvante et le trouble au milieu de l'espéce humaine », dit l'homme indépendant que le sage étouffe ; « mais il faut que je sois malheureux, ou que je fasse le malheur des autres, et personne ne m'est plus cher que moi. » « C'est vainement », pourra-t-il ajoûter, « que je voudrois concilier mon intérest avec celui d'autrui ; tout ce que vous me dites des avantages de la loi sociale pourroit être bon, si tandis que je l'observois scrupuleusement envers les autres, j'étois sur qu'ils l'observeroient tous envers moi ; mais quelle sureté pouvez-vous me donner là-dessus, et ma situation peut-elle être pire que de me voir exposé à tous les maux que les plus forts voudront me faire, sans oser me dédomager sur les foibles ? Ou donnez-moi des garants contre toute entreprise injuste, ou n'espérez pas que je m'en abstienne à mon tour. Vous avez beau me dire qu'en renonçant aux devoirs que m'impose la loi naturelle, je me prive en même tems de ses droits et que mes violences autoriseront toutes celles dont on voudra user envers moi. J'y consens d'autant plus volontiers que je ne vois point comment ma modération pourroit m'en garantir. Au surplus ce sera mon affaire de mettre les forts dans mes intérêt en partageant avec eux les dépouilles des foibles ; cela vaudra mieux que la justice pour mon avantage, et pour ma sureté. » La preuve que c'est ainsi qu'eut raisonné l'homme éclairé et indépendant est, que c'est ainsi que raisonne toute société souveraine qui ne rend compte de sa conduite qu'à elle-même.

Que répondre de solide à de pareils discours si l'on ne veut amener la Religion à l'aide de la morale, et faire intervenir immediatement la volonté de Dieu pour lier la société des hommes. Mais les notions sublimes du Dieu des sages, les douces loix de la fraternité qu'il nous impose, les vertus sociales des ames pures, qui sont le vrai culte qu'il veut de nous, echaperont toujours à la multitude. On lui fera toujours des Dieux insensés comme elle, auxquels elle sacrifiera de legéres comodités pour se livrer en leur honneur à mille passions horribles et destructives. La terre entiére regorgeroit de sang et le genre humain périroit bientôt si la Philosophie et les loix ne retenoient les fureurs du fanatisme, et si la voix des hommes n'était plus forte que celle des Dieux. En effet, si les notions du grand Etre et de la loi naturelle étoient innées dans tous les cœurs, ce fut un soin bien superflu d'enseigner expressement l'une et l'autre : C'étoit nous apprendre ce que nous savions déjà, et la maniére dont on s'y est pris eut été bien plus propre à nous le faire oublier. Si elles n'étoient pas, tous ceux à qui Dieu ne les a point données sont dispensés de les savoir : Dés qu'il a fallu pour cela des instructions particuliéres, chaque Peuple a les siennes qu'on lui prouve être les seules bonnes, et d'où derivent plus souvent le Carnage et les meurtres que la concorde et la paix. Laissons donc à part les préceptes sacrés des Religions diverses dont l'abus cause autant de crimes que leur usage en peut épargner, et rendons au Philosophe l'éxamen d'une question que le Théologien n'a jamais traittée qu'au préjudice du genre humain.

Mais le prémier me renversa par devant le genre humain même à qui seul il appartient de décider, parce que le plus grand bien de tous est la seule passion qu'il ait. C'est, me dira-t-il, à la volonté générale que l'individu doit s'addresser pour savoir jusqu'où il doit être homme, Citoyen, Sujet, Pére, enfant, et quand il lui convient de vivre et de mourir. « Je vois bien là, je l'avoüe, la régle que je puis consulter ; mais je ne vois pas encore », dira nôtre homme indépendant,

« la raison qui doit m'assujetir à cette régle. Il ne s'agit pas de m'apprendre ce que c'est que justice ; il s'agit de me montrer quel intérêt j'ai d'être juste. » En effet que la volonté générale soit dans chaque individu un acte pur de l'entendement qui raisonne dans le silence des passions sur ce que l'homme peut exiger de son semblable, et sur ce que son semblable est en droit d'éxiger de lui, nul n'en disconviendra : Mais où est l'homme qui puisse ainsi se séparer de lui même et si le soin de sa propre conservation est le prémier precepte de la nature, peut on le forcer de regarder ainsi l'espéce en général pour s'imposer, à lui, des devoirs dont il ne voit point la liaison avec sa constitution particuliére ? Les objections precedentes ne subsistent-elles pas toujours, et ne reste-t-il pas encore à voir comment son intérêt personnel exige qu'il se soumette à la volonté générale ?

De plus ; comme l'art de généraliser ainsi ses idées est un des exercices les plus difficiles et les plus tardifs de l'entendement humain, le commun des hommes sera-t-il jamais en état de tirer de cette maniére de raisonner les régles de sa conduite, et quand il faudroit consulter la volonté générale sur un acte particulier, combien de fois n'arriveroit-il pas à un homme bien intentionné de se tromper sur la régle ou sur l'application et de ne suivre que son penchant en pensant obéir à la loi ? Que fera-t-il donc pour se garantir de l'erreur ? Ecoutera-t-il la voix intérieure ? Mais cette voix n'est, dit-on, formée que par l'habitude de juger et de sentir dans le sein de la société et selon ses loix, elle ne peut donc servir à les établir et puis il faudroit qu'il ne se fut élevé dans son cœur aucune de ces passions qui parlent plus haut que la conscience, couvrent sa timide voix, et font soutenir aux philosophes que cette voix n'existe pas. Consultera-t-il les principes du droit écrit, les actions sociales de tous les peuples, les conventions tacites des ennemis mêmes du genre humain ? La prémière difficulté revient toujours, et ce n'est que de l'ordre social établi parmi nous que nous tirons les idées de celui que nous imaginons. Nous concevons la société générale d'après nos sociétés particuliéres, l'établissement des petites Republiques nous fait songer à la grande, et nous ne commençons proprement à devenir hommes qu'après avoir été Citoyens. Par où l'on voit ce qu'il faut penser de ces prétendus Cosmopolites, qui justifiant leur amour pour la patrie par leur amour pour le genre humain, se vantent d'aimer tout le monde pour avoir droit de n'aimer personne.

Ce que le raisonnement nous démontre à cet égard est parfaitement confirmé par les faits et pour peu qu'on remonte dans les hautes antiquités, on voit aisément que les saines idées du droit naturel et de la fraternité commune de tous les hommes se sont répandues assés tard et ont fait des progrès si lents dans le monde qu'il n'y a que le Christianisme qui les ait suffisamment généralisées. Encore trouve-t-on dans les Loix mêmes de Justinien les anciennes violences autorisées à bien des égards, non seulement sur les ennemis declarés, mais sur tout ce qui n'étoit pas sujet de l'Empire ; en sorte que l'humanité des Romains ne s'étendoit pas plus loin que leur domination.

En effet, on a cru longtems, comme l'observe Grotius, qu'il étoit permis de voler, piller, maltraitter les étrangers et surtout les barbares, jusqu'à les réduire en esclavage. De là vient qu'on demandoit à des inconnus sans les choquer s'ils étoient Brigands ou Pyrates ; parce que le métier, loin d'être ignominieux, passoit alors pour honorable. Les premiers Heros comme Hercule et Thésée qui faisoient la guerre aux Brigands, ne laissoient pas d'exercer le brigandage eux-mêmes et les Grecs appelloient souvent traittés de paix ceux qui se faisoient entre des peuples qui n'étoient point en guerre. Les mots d'étrangers et d'ennemis ont été longtems synonimes chez plusieurs anciens peuples, même chez les Latins : *Hostis enim,* dit Ciceron, *apud majores nostros dicebatur, quem nunc peregrinum dicimus.* L'erreur de Hobbes n'est donc pas d'avoir établi l'état de guerre entre les hommes indépendans et devenus sociables mais d'avoir supposé cet état naturel à l'espèce, et de l'avoir donné pour cause aux vices dont il est l'effet.

Mais quoiqu'il n'y ait point de societé naturelle et générale entre les hommes, quoiqu'ils deviennent malheureux et méchans en devenant sociables, quoique les loix de la justice et de l'égalité ne soient rien pour ceux qui vivent à la fois dans la liberté de l'état de nature et soumis aux besoins de l'état social ; loin de penser qu'il n'y ait ni vertu ni bonheur pour nous, et que le ciel nous ait abandonnés sans ressource à la dépravation de l'espèce ; efforçons nous de tirer du mal même le remède qui doit le guérir. Par de nouvelles associations, corrigeons, s'il se peut, le défaut de l'association générale. Que nôtre violent interlocuteur juge lui même du succés. Montrons lui dans l'art perfectionné la réparation des maux que l'art commencé fit à la nature : Montrons lui toute la misére de l'état qu'il croyoit heureux, tout le faux du raisonnement qu'il croyoit solide. Qu'il voye dans une meilleure constitution de choses le prix des bonnes actions, le chatiment des mauvaises et l'accord aimable de la justice et du bonheur. Eclairons sa raison de nouvelles lumiéres, échauffons son cœur de nouveaux sentimens, et qu'il apprenne à multiplier son être et sa félicité, en les partageant avec ses semblables. Si mon zéle ne m'aveugle pas dans cette entreprise, ne doutons point qu'avec une ame forte et un sens droit, cet ennemi du genre humain n'abjure enfin sa haine avec ses erreurs, que la raison qui l'égaroit ne le ramène à l'humanité, qu'il n'apprenne à preferer à son intérêt apparent son intérêt bien entendu ; qu'il ne devienne bon, vertueux, sensible, et pour tout dire, enfin, d'un Brigand féroce qu'il vouloit être, le plus ferme appui d'une société bien ordonnée.

2.2. « FAUSSES NOTIONS DU LIEN SOCIAL »

Ce texte, encore très proche du *Discours sur l'origine de l'inégalité* et de l'*Economie politique,* a été entièrement remanié dans la version définitive.

Il y a mille manières de rassembler les hommes, il n'y en a qu'une de les unir. C'est pour cela que je ne donne dans cet ouvrage qu'une méthode pour la formation des sociétés politiques, quoique dans la multitude d'aggrégations qui éxistent actuellement sous ce nom, il n'y en ait peut être pas deux qui aient été formées de la même manière, et pas une qui l'ait été selon celle que j'établis. Mais je cherche le droit et la raison et ne dispute pas des faits. Cherchons sur ces régles quels jugemens on doit porter des autres voyes d'association civile, telles que les supposent la pluspart [de] nos Ecrivains. 1. Que l'autorité naturelle d'un Pére de famille s'étende sur ses Enfans au delà même de leur foiblesse et de leur besoin et qu'en continuant de lui obéir ils fassent à la fin par habitude et par reconnoissance ce qu'ils faisoient d'abord par necessité ; cela se conçoit sans peine et les liens qui peuvent unir la famille sont faciles à voir. Mais que le Pére venant à mourir un des enfans usurpe sur ses fréres dans un age approchant du sien et même sur des étrangers le pouvoir que le Pére avoit sur tous, voila ce qui n'a plus de raison ni de fondement. Car les droits naturels de l'âge, de la force, de la tendresse paternelle, les devoirs de la gratitude filiale ; tout manque à la fois dans ce nouvel ordre, et les fréres sont imbéciles ou dénaturés de soumettre leurs enfans au joug d'un homme qui selon la loi naturelle doit donner toute préférence aux siens. On ne voit plus ici dans les choses de nœuds qui unissent le chef et les membres. La force agit seule et la nature ne dit plus rien.

Arrétons nous un instant à ce paralléle fait avec emphase par tant d'Auteurs. Prémièrement, quand il y auroit entre l'Etat et la famille autant de rapports qu'ils le prétendent, il ne s'ensuivroit pas pour cela que les régles de conduite propres à l'une des deux sociétés convinssent à l'autre. Elles différent trop en grandeur pour pouvoir être administrées de la même manière, et il y aura toujours une extrême différence entre le gouvernement domestique, où le Pére voit tout par lui-même, et le gouvernement civil où le chef ne voit presque rien que par les yeux d'autrui. Pour que les choses devinssent égales à cet égard, il faudroit que les talens, la force, et toutes les facultés du Pére, augmentassent en raison de la grandeur de la famille, et que l'ame d'un puissant Monarque fut à celle d'un homme ordinaire comme l'étendüe de son Empire est à l'heritage d'un particulier.

Mais comment le gouvernement de l'Etat pourroit-il être semblable à celui de la famille dont le principe est si différent? Le Pére étant physiquement plus fort que ses enfans aussi longtems que son secours leur est necessaire, le pouvoir paternel passe avec raison pour être établi par la nature. Dans la grande famille dont tous les membres sont naturellement égaux, l'autorité politique, purement arbitraire quant à son institution, ne peut être fondée que sur des conventions, ni le Magistrat commander au Citoyen qu'en vertu des loix. Les devoirs du Pére lui sont dictés par des sentimens naturels, et d'un ton qui lui permet rarement de desobeir. Les chefs n'ont point de semblable régle, et ne sont reellement tenus envers le peuple qu'à ce qu'ils lui ont promis de faire, et dont il est en droit d'éxiger l'exécution. Une autre différence plus importante encore est que les enfans n'ayant rien que ce qu'ils reçoivent du Pére, il est évident que tous les droits de proprieté lui appartiennent ou émanent de lui; c'est tout le contraire dans la grande famille, où l'administration générale n'est établie que pour assurer la possession particuliére, qui lui est antérieure. Le principal objet des travaux de toute la maison est de conserver et d'accroître le patrimoine du Pére, afin qu'il puisse un jour le partager entre ses enfans sans les appauvrir, au lieu que la richesse du prince, loin de rien ajoûter au bien être des particuliers leur coûte presque toujours la paix et l'abondance. Enfin la petite famille est destinée à s'éteindre et à se resoudre un jour en plusieurs autres familles semblables; mais la grande étant faite pour durer toujours dans le même état, il faut que la prémiére s'augmente pour se multiplier; et non seulement il suffit que l'autre se conserve, on peut prouver même que toute augmentation lui est plus préjudiciable qu'utile.

Par plusieurs raisons tirées de la nature de la chose, le Pére doit commander dans la famille. Premiérement, l'autorité ne doit pas être égale entre le Pére et la Mére; mais il faut que le gouvernement soit un, et que dans les partages d'avis il y ait une voix préponderante qui décide. 2° Quelques légéres qu'on veuille supposer les incomodités particuliéres à la femme, comme elles sont toujours pour elle un intervalle d'inaction, c'est une raison suffisante pour l'exclurre de cette primauté : car quand la balance est parfaitement égale, un rien suffit pour la faire pancher. De plus, le Mari doit avoir inspection sur la conduite de sa femme, parce qu'il lui importe que les enfans qu'il est forcé de reconnoitre n'appartiennent pas à d'autres qu'à lui. La femme qui n'a rien de semblable à craindre n'a pas le même droit sur le mari. 3° Les enfans doivent obeir au Pére, d'abord par nécessité, ensuite par reconnoissance ; après avoir receu de lui leurs besoins durant la moitié de leur vie ; ils doivent consacrer l'autre à pourvoir aux siens. 4° A l'égard des Domestiques, ils lui doivent aussi leurs services en échange de l'entretien qu'il leur donne ; sauf à rompre le marché dés qu'il cesse de leur convenir. Je ne parle point de l'esclavage, parce qu'il est contraire à la nature et que rien ne peut l'autoriser.

Il n'y a rien de tout cela dans la societé politique. Loin que le Chef ait un intérêt naturel au bonheur des particuliers, il ne lui est pas rare de chercher le sien dans leur misére. La couronne est-elle heréditaire ? C'est souvent un enfant qui commande à des hommes*. Est-elle élective ? Mille inconveniens se font sentir dans les élections, et l'on perd dans l'un et dans l'autre cas tous les avantages de la paternité. Si vous n'avez qu'un seul chef, vous êtes à la discretion d'un maitre qui n'a nulle raison de vous aimer ; si vous en avez plusieurs, il faut supporter à la fois leur Tyrannie et leurs divisions. En un mot ; les abus sont inévitables et leurs suites funestes dans toute societé, où l'intérêt public et les loix n'ont aucune force naturelle, et sont sans cesse attaqués par l'intérêt personnel et les passions du chef et des membres.

Quoique les fonctions du Pére de famille et du Prince doivent tendre au même but, c'est par des voyes si différentes ; leurs devoirs et leurs droits sont tellement distingués qu'on ne peut les confondre sans se former les plus fausses idées des principes de la société, et sans tomber dans des erreurs fatales au genre humain. En effet, si la voix de la nature est le meilleur conseil que doive écouter un bon Pére pour bien remplir ses devoirs, elle n'est pour le Magistrat qu'un faux guide qui travaille sans cesse à l'écarter des siens, et qui l'entraîne tot ou tard à sa perte ou à celle de l'Etat, s'il n'est retenu par la prudence ou par la vertu. La seule précaution nécessaire au Pére de famille, est de se garantir de la dépravation, et d'empêcher que les inclinations naturelles ne se corrompent en lui ; mais ce sont elles qui corrompent le Magistrat. Pour bien faire, le prémier n'a qu'à consulter son cœur ; l'autre devient un traitre au moment qu'il écoute le

---

* La loi françoise sur la majorité des Rois, prouve que des hommes très sensés et une longue expérience ont appris aux peuples que c'est un plus grand malheur encore d'être gouvernés par des Régences que par des Enfans.

sien : sa raison même lui doit être suspecte et il ne doit suivre que la raison publique qui est la loi. Aussi la nature a-t-elle fait une multitude de bons Péres de famille ; mais j'ignore si la sagesse humaine a jamais fait un bon Roi ; qu'on voye dans le *Civilis* de Platon les qualités que cet homme Royal doit avoir, et qu'on cite quelqu'un qui les ait eües. Quand on supposeroit même que cet homme ait existé et qu'il ait porté la couronne la raison permet-elle d'établir sur un prodige la régle des gouvernemens humains ? Il est donc certain que le lien social de la Cité n'a pu ni du se former par l'exten-sion de celui de la famille ni sur le même modele.

2. Qu'un homme riche et puissant ayant acquis d'immenses possessions en terres imposât des loix à ceux qui s'y vou-loient établir ; qu'il ne le leur permit qu'à condition de recon-noitre son autorité suprême et d'obeir à toutes ses volontés, je puis encore concevoir cela : Mais comment concevrai-je qu'un traitté qui suppose des droits antérieurs soit le prémier fondement du Droit, et qu'il n'y ait pas dans cet acte Tyran-nique double usurpation, savoir sur la propriété de la terre et sur la liberté des habitans ? Comment un particulier peut-il s'emparer d'un territoire immense et en priver le genre humain, autrement que par une usurpation punissable ; puis-qu'elle ôte au reste des habitans du monde le séjour et les alimens que la nature leur donne en commun. Accordons au besoin et au travail le droit de prémier occupant ; pourrons-nous ne pas donner des bornes à ce droit ? Suffira-t-il de mettre le pied sur un terrain commun pour s'en prétendre aussi-tot proprietaire exclusif* ? Suffira-t-il d'avoir la force d'en chasser tous les autres pour leur ôter le droit d'y revenir ? Jusqu'où l'acte de prise de possession peut-il fonder la pro-prieté ? Quand Nuñez Balbao prenoit sur le rivage possession de la mer du Sud et de toute l'Amérique méridionale au nom de la Couronne de Castille, étoit-ce assés pour en depposeder tous les habitans et en exclurre tous les Princes du monde ? Sur ce pied-là ces ceremonies se multiplioient assés vaine-ment : car le Roi Catholique n'avoit qu'à d'un coup qu'à prendre de son cabinet possession de tout l'univers ; sauf à retrancher ensuite de son empire ce qui étoit auparavant possedé par les autres Princes.

Quelles sont donc les conditions necessaires pour autoriser sur un terrain quelconque le droit de premier occupant ? Premiérement qu'il ne soit encore habité par personne.

---

* J'ai vu dans je ne sais quel écrit intitulé je crois l'observateur Hollandois un principe assés plaisant c'est que tout terrain qui n'est habité que par les sauvages doit être censé vacquant et qu'on peut légitimement s'en emparer et en chasser les habitans sans leur faire aucun tort selon le droit naturel.

Secondement qu'on n'en occupe que la quantité dont on a besoin pour sa subsistance. En troisiéme lieu qu'on en prenne possession non par une vaine cérémonie mais par le travail et la culture, seul signe de propriété qui doive être respecté d'autrui. Les droits d'un homme avant l'état de société ne peuvent aller plus loin, et tout le reste n'étant que violence et usurpation contre le droit de nature, ne peut servir de fondement au droit social.

Or quand je n'ai pas plus de terrain qu'il n'en faut pour mon entretien et assés de bras pour le cultiver : si j'en aliéne encore, il m'en restera moins qu'il ne m'en faudra. Que puis-je donc ceder aux autres sans m'ôter ma subsistance, ou quel accord ferai-je avec eux pour les mettre en possession de ce qui ne m'appartient pas ? Quant aux conditions de cet accord, il est très évident qu'elles sont illégitimes et nulles, pour ceux qu'elles soumettent sans reserve à la volonté d'un autre ; car outre qu'une telle soumission est incompatible avec la nature de l'homme et que c'est ôter toute moralité à ses actions que d'ôter toute liberté à sa volonté ; c'est une convention vaine, absurde, impossible, de stipuler d'un côté une autorité absolüe, et de l'autre une obeissance sans bornes. N'est-il pas clair qu'on n'est engagé à rien envers celui dont on a droit de tout éxiger, et cette seule condition, incompatible avec toute autre n'entraîne-t-elle pas necessairement la nullité de l'acte ? Car comment mon Esclave pourroit-il avoir des droits contre moi, puisque tout ce qu'il a m'appartient, et que son droit étant le mien, ce droit de moi contre moi-même est un mot qui n'a aucun sens ?

3. Que par le droit de guerre, le vainqueur au lieu de tüer ses captifs les réduise en une servitude éternelle ; sans doute il fait bien pour son profit, mais puisqu'il n'en use ainsi que par le droit de la guerre, l'état de guerre ne cesse point entre les vaincus et lui, car il ne peut cesser que par une convention libre et volontaire comme il a commencé. Que s'il ne les tüe pas tous, cette prétendüe grace n'en est point une quand il faut la payer de sa liberté qui seule peut donner un prix à la vie ; comme ces captifs lui sont plus utiles vivans que morts, il les laisse vivre pour son intérest et non pas pour le leur, ils ne lui doivent donc rien que l'obeissance aussi longtems qu'ils sont forcés de lui obeir, mais à l'instant que le peuple subjugué peut secouer un joug imposé par force et se défaire de son maitre c'est à dire de son ennemi, s'il le peut il le doit, et recouvrant sa liberté légitime il ne faut qu'user du droit de guerre qui ne cesse point tant que la violence qu'il autorise a lieu. Or comment l'état de guerre serviroit-il de base à un traitté d'union qui n'a pour objet que

la justice et la paix ? Peut-on rien concevoir de plus absurde que de dire ; nous sommes unis en un seul corps attendu que la guerre subsiste entre nous. Mais la fausseté de ce prétendu droit de tuer les captifs a été si bien reconnüe qu'il n'y a plus d'homme civilisé qui ose exercer ou réclamer ce chimérique et barbare droit, ni même de sophiste payé qui l'ose soutenir. Je dis donc prémiérement que le vainqueur n'ayant pas le droit de mettre à mort les vaincus sitot qu'ils rendent les armes, il ne peut fonder leur esclavage sur un droit qui n'existe point. Secondement, que quand même le vainqueur auroit ce droit et ne s'en prévaudroit pas, il ne résulteroit jamais de là un état civil, mais seulement un état de guerre modifié.

Ajoutons que si par ce mot de *guerre* on entend la guerre publique on suppose des sociétés antérieures dont on n'explique point l'origine : si l'on entend la guerre privée d'homme à homme, on n'aura par là qu'un maitre et des Esclaves, jamais un chef et des citoyens ; et pour distinguer ce dernier rapport il faudra toujours supposer quelque convention sociale qui fasse un corps de peuple et unisse les membres entre eux ainsi qu'à leur chef.

Tel est en effet le véritable caractére de l'état civil ; un Peuple est un Peuple indépendamment de son chef, et si le Prince vient à périr, il existe encore entre les sujets des liens qui les maintiennent en corps de nation. Vous ne trouvez rien de pareil dans les principes de la Tyrannie. Sitôt que le Tyran cesse d'exister tout se sépare et tombe en poussiére, comme un chêne en un tas de cendres quand le feu s'éteint après l'avoir dévoré.

4. Que par le laps de tems une violente usurpation devienne enfin un pouvoir legitime ; que la prescription seule puisse changer un Usurpateur en magistrat suprême, et un troupeau d'esclaves en corps de nation, c'est ce que beaucoup de savans hommes ont osé soutenir et à quoi il ne manque d'autre autorité que celle de la raison. Bien loin qu'une longue violence puisse à force de tems se transformer en un gouvernement juste, il est incontestable au contraire, que quand un Peuple seroit assés insensé pour accorder volontairement à son chef un pouvoir arbitraire, ce pouvoir ne sauroit être transmis sur d'autres générations et que sa durée seule est capable de le rendre illégitime ; car on ne peut présumer que les enfans à naitre approuveront l'extravagance de leurs Péres ni leur faire porter justement la peine d'une faute qu'ils n'ont pas commise.

On nous dira, je le sais, que comme ce qui n'existe point n'a aucune qualité, l'enfant qui est encore à naitre n'a aucun droit ; De sorte que ses parens peuvent renoncer aux leurs pour eux et pour lui sans qu'il ait à s'en plaindre. Mais pour détruire un si grossier sophisme, il suffit de distinguer les droits que le fils tient uniquement de son Pére, comme la propriété de ses biens, des droits qu'il ne tient que de la nature et de sa qualité d'homme, comme la liberté. Il n'est pas douteux que par la loi de raison le Pére ne puisse aliener les prémiers, dont il est seul propriétaire, et en priver ses enfans. Mais il n'en est pas de même des autres, qui sont des dons immédiats de la nature, et dont par consequent nul homme ne les peut dépouiller. Supposons qu'un conquerant habile et zélé pour le bonheur de ses sujets leur eut persuadé qu'avec un bras de moins ils en seroient plus tranquiles et plus heureux, en seroit-ce assés pour obliger tous les enfans à perpétuité de se faire couper un bras pour remplir les engagemens de leurs péres?

A l'égard du consentement tacite par lequel on veut légitimer la Tyrannie, il est aisé de voir qu'on ne peut le présumer du plus long silence, parce qu'outre la crainte qui empêche les particuliers de protester contre un homme qui dispose de la force publique, le peuple, qui ne peut manifester sa volonté qu'en corps n'a pas le pouvoir de s'assembler pour la déclarer. Au contraire, le silence des citoyens suffit pour rejetter un chef non reconnu, il faut qu'ils parlent pour l'autoriser et qu'ils parlent en pleine liberté. Au reste, tout ce que disent là-dessus les jurisconsultes et autres gens payés pour cela, ne prouve point que le peuple n'ait pas le droit de reprendre sa liberté usurpée, mais qu'il est dangereux de le tenter. C'est aussi ce qu'il ne faut jamais faire quand on connoit de plus grands maux que celui de l'avoir perdüe.

Toute cette dispute du pacte social me semble se réduire à une question très simple. Qu'est-ce qui peut avoir engagé les hommes à se réunir volontairement en corps de societé, si ce n'est leur utilité commune? L'utilité commune est donc le fondement de la societé civile. Cela posé, qu'y a-t-il à faire pour distinguer les Etats légitimes des attroupemens forcés que rien n'autorise, sinon de considérer l'objet ou la fin des uns et des autres? Si la forme de la societé tend au bien commun, elle suit l'esprit de son institution, si elle n'a en vüe que l'intérêt des chefs, elle est illégitime par droit de raison et d'humanité; car quand même l'intérêt public s'accorderoit quelquefois avec celui de la Tyrannie, cet accord passager ne sauroit suffire pour autoriser un gouvernement dont il ne seroit pas le principe. Quand Grotius nie que tout pouvoir soit établi en faveur de ceux qui sont gouvernés, il n'a que trop raison dans le fait, mais c'est du droit qu'il est question. Sa preuve unique est singuliére; il la tire du pouvoir d'un maitre sur son esclave, comme si l'on autorisoit un fait par un fait, et que l'esclavage lui-même fut moins inique que la Tyrannie. C'est précisément le droit d'esclavage qu'il faloit établir. Il n'est pas question de ce qui est, mais de ce qui est convenable et juste, ni du pouvoir auquel on est forcé d'obéir mais de celui qu'on est obligé de reconnoitre.

2.3. « DE LA RELIGION CIVILE »

On comparera ce texte avec son état définitif (p. 107 à 113).

Sitôt que les h[ommes] vivent en société il leur faut une Religion qui les y maintienne. Jamais peuple n'a subsisté ni ne subsistera sans Religion et si on ne lui en donnoit point, de lui-même il s'en feroit une ou seroit bientôt détruit. Dans tout etat qui peut exiger de ses membres le sacrifice de leur vie celui qui ne croit point de vie à venir est nécessairement un lâche ou un fou; mais on ne sait que trop à quel point l'espoir de la vie à venir peut engager un fanatique à mépriser celle-ci. Otez ses visions à ce fanatique et donnez-lui ce même espoir pour prix de la vertu vous en ferez un vrai citoyen.

La Religion considérée par raport à la societé peut se diviser en deux espèces savoir la Religion de l'homme et celle du Citoyen. La première, sans temple, sans autels, sans rites, bornée au culte purement spirituel du Dieu suprême et aux devoirs éternels de la morale, est la pure et simple Religion de l'Evangile ou le vrai Théisme. L'autre, renfermée pour ainsi dire dans un seul pays, lui donne ses dieux propres et tutélaires, elle a ses cérémonies, ses rites, son culte extérieur prescrit par les loix : hors de la seule nation qui la suit, tout le reste est pour elle infidèle, étranger, barbare, elle n'étend les devoirs et les droits de l'h[omme] qu'aussi loin que ses Dieux et ses loix. Telles étoient les Réligions de tous les anciens peuples sans aucune exception.

Il y a une 3ᵉ sorte de Religion plus bizarre qui donnant aux hommes deux chefs, deux loix, deux patries les soumet à des devoirs contradictoires et les empêche de pouvoir jamais être à la fois pieux et citoyens. Telle est la Religion des Lamas, telle est celle des Japonois, tel est le christianisme romain. On peut appeler celle-ci la Religion du Prêtre.

A considerer politiquement ces trois sortes de Religion, elles ont toutes leurs défauts. La troisième est si évidemment mauvaise, que c'est perdre le tems de s'amuser à la démontrer.

La seconde est bonne en ce qu'elle réunit le culte divin et l'amour des loix et que faisant de la patrie l'objet de l'adoration des citoyens, elle leur apprend que servir l'Etat c'est servir Dieu. C'est une espèce de Théocratie dans laquelle l'Etat ne doit point avoir d'autres prêtres que ses magistrats. Alors, mourir pour son pays c'est aller au martire ; désobéir aux loix c'est être impie et sacrilége, et soumettre un criminel à l'exécration publique c'est le dévouer au courroux céleste des Dieux : *sacer estod*.

Mais elle est mauvaise en ce qu'étant fondée sur l'erreur et sur le mensonge elle trompe les h[ommes], les rend crédules et superstitieux, et noye le vrai culte de la divinité dans un vain cérémonial. Elle est mauvaise encore quand devenant exclusive et tirannique elle rend un peuple sanguinaire et intolérant en sorte qu'il ne respire que meurtre et massacre et croit faire une action sainte de tuer quiconque n'admet pas ses dieux et ses loix. Il n'est pas permis de serrer le nœud d'une société particuliére aux dépends du reste du genre humain.

Que si dans le paganisme où chaque état avoit son culte et ses Dieux tutélaires il n'y avoit point de guerres de Religion. C'étoit par cela même que chaque état ayant son culte particulier aussi bien que son gouvernement ne distinguoit point ses Dieux de ses loix. La guerre étant purement civile étoit tout ce qu'elle pouvoit être. Les départemens des Dieux étoient pour ainsi dire fixés par les bornes des nations. Le Dieu d'un peuple n'avoit aucun droit sur un autre peuple. Les Dieux des payens n'étoient point des Dieux jaloux, ils partageoient paisiblement entre eux l'empire du monde et en suivoient sans souci les partages des mortels ; l'obligation d'embrasser une religion ne venoit que de celle d'être soumis aux loix qui la prescrivoient. Comme il n'y avoit donc point d'autre manière de convertir un peuple que de l'asservir c'eût été un discours ridicule que de lui dire : adore mes Dieux ou je t'attaque ; l'obligation de changer de culte étant attachée à victoire, il faloit commencer par vaincre avant d'en parler. En un mot, loin que les hommes combatissent pour les Dieux, c'étoit comme dans Homère les Dieux qui combattoient pour les h[ommes]. Les Romains avant de prendre une place sommaient ses Dieux de l'abandonner et quand ils laissoient aux Tarentins leurs Dieux irrités c'est qu'ils les regardoient alors, ces Dieux, comme soumis aux leurs, et forcés à leur faire hommage. Ils laissoient aux vaincus leurs Dieux comme ils leur laissoient leurs loix. Une couronne d'or au Jupiter du Capitole étoit souvent le seul tribut qu'ils en exigeoient.

Or si malgré cette mutuelle tolérance la superstition payenne, au milieu des lettres et de mille vertus, engendra tant de cruautés, je ne vois point qu'il soit possible de séparer ces mêmes cruautés du même zèle et de concilier les droits d'une religion nationale avec ceux de l'humanité; il vaut donc mieux attacher les citoyens à l'état par des liens moins forts et plus doux et n'avoir ni heros ni fanatiques.

Reste la religion de l'h[omme] ou le Christianisme, non pas celui d'aujourd'hui mais celui de l'évangile. Par cette Religion sainte, sublime, véritable, les hommes, enfans du même Dieu, se reconnoissent tous pour frères, et la société qui les unit est d'autant plus étroite qu'elle ne se dissout pas même à la mort. Cependant cette même religion n'ayant nulle relation particuliére à la constitution de l'état, laisse aux loix politiques et civiles la seule force que leur donne le droit naturel sans leur en ajouter aucune autre, et par là un des plus grands soutiens de la société reste sans effet dans l'état. On nous dit qu'un peuple de vrais chrétiens formeroit la plus parfaite société qu'on puisse imaginer. La plus parfaite en un sens purement moral cela peut être mais non pas certainement la plus forte ni la plus durable. Le peuple seroit soumis aux loix, les chefs seroient équitables, les soldats mépriseroient la mort, j'en conviens, mais ce n'est pas là tout. Le Christianisme est une religion toute spirituelle qui détache les h[ommes] des choses de la terre, la patrie du chrétien n'est pas de ce monde, il fait son devoir il est vrai mais il le fait avec une profonde indifférence sur le succès des soins qu'il se donne. Peu lui importe que tout aille bien ou mal ici-bas; si l'état est florissant il jouit modestement de la félicité publique, si l'état dépérit il bénit la main de Dieu qui s'appesantit sur son peuple. Pour que la société fut paisible et que l'harmonie se maintint il faudroit que tous les citoyens sans exception fussent également bons chrétiens, mais si malheureusement il s'y trouvoit quelque ambitieux ou quelque hypocrite, un Catilina par exemple ou un Cromwell, celui-là très certainement auroit bon marché de ses pieux compatriotes. Dès qu'il auroit trouvé par quelque ruse le secret de les tromper et de s'emparer d'une partie de l'autorité publique, aussitôt voila une puissance. Dieu veut qu'on lui obéisse, c'est la verge dont il punit ses enfans, on se feroit conscience de chasser l'usurpateur, il faudroit verser du sang, user de violence, troubler le repos public, tout cela ne s'accorde point avec la douceur du chrétien, et après tout qu'importe qu'on soit libre ou dans les fers dans cette vallée de misére; l'essentiel est d'aller en paradis, et la resignation n'est qu'un moyen de plus pour cela. On peut être tout aussi bien sauvé esclave qu'homme libre.

Survient-il quelque guerre étrangère, les citoyens marchent au combat, nul d'eux ne songe à fuir, ils font leur devoir mais ils ont peu de passion pour la victoire, ils savent plustôt mourir que vaincre. Qu'ils soient vainqueurs ou vaincus qu'importe, la providence sait mieux qu'eux ce qu'il leur faut. Qu'on imagine quel parti un ennemi impétueux, actif, passionné peut tirer de leur stoïcisme. Mettez vis à vis d'eux ces peuples généreux et fiers que dévorait l'ardent amour de la gloire et de la patrie. Supposés vôtre république chrétienne vis à vis de Sparte ou de Rome, les chrétiens seront battus, écrasés, détruits avant d'avoir eu le tems de se reconnoître, ou ne devront leur salut qu'au mépris que leur ennemi concevra pour eux. C'étoit un beau serment, ce me semble, que celui des soldats de Fabius, ils ne jurèrent pas de vaincre ou de mourir, ils jurèrent de revenir vainqueurs, et ils revinrent tels. Jamais des chrétiens ne s'aviseroient d'un pareil serment, car ils croiroient tenter Dieu.

Mais je me trompe en disant une république chrétienne, chacun de ces deux mots exclud l'autre. Le Christianisme ne prêche que servitude et dépendance. L'esprit du Christianisme est trop favorable à la tyrannie pour qu'elle n'en profite pas toujours. Les vrais chrétiens sont faits pour être esclaves, ils le savent et ne s'en émeuvent guère, cette courte vie a trop peu de prix pour eux.

Les troupes chrétiennes sont excellentes, me dira-t-on. Je le nie. Qu'on m'en montre de telles. Quant à moi je ne connois point de troupes chrétiennes. On me citera les croisades. Sans disputer sur la valeur des croisés, je me contenterai de remarquer que bien loin d'être des chrétiens, c'étoient des soldats du prêtre, c'étoient des citoyens de l'Eglise, ils se battoient pour leur pays spirituel. A le bien prendre, ceci rentre dans le paganisme, comme l'évangile n'est point une religion civile, toute guerre de religion est impossible parmi les chrétiens.

Sous les empereurs Payens, les soldats chrétiens étoient braves. Je le crois bien. C'étoit une espèce de guerre d'honneur entre eux et les troupes payennes. Sitôt que les Empereurs furent chrétiens, cette émulation ne subsista plus et leurs troupes ne firent plus rien qui vaille.

Revenons au droit et fixons les principes. Le droit que le pacte social donne au souverain sur les sujets ne passe point, comme je l'ai dit, les bornes de l'utilité publique. Les sujets ne doivent donc compte au souverain de leurs opinions qu'autant que ces opinions importent à la communauté. Or il importe bien à l'état que chaque citoyen ait une Religion : mais les dogmes de cette Religion ne lui importent qu'autant qu'ils se rapportent à la morale, tous les autres ne sont point de sa compétence et chacun peut avoir au surplus telles opinions qu'il lui plaît sans qu'il appartienne au souverain d'en connoître.

Il y a des dogmes positifs, que le citoyen doit admettre

comme avantageux à la société et des dogmes négatifs, qu'il doit rejetter comme nuisibles.

Ces dogmes divers composent une profession de foi purement civile qu'il appartient à la loi de prescrire non pas précisément comme dogmes de Religion mais comme sentimens de sociabilité sans lesquels il est impossible d'être bon citoyen ni sujet fidelle. Elle ne peut obliger personne à les croire, mais elle peut bannir de l'Etat quiconque ne les croit pas ; elle peut le bannir, non comme impie, mais comme insociable, comme incapable d'aimer sincerement les loix, la justice, la patrie, et d'immoler au besoin sa vie à ses devoirs. Tout citoyen doit être tenu de prononcer cette profession de foi par devant le magistrat et d'en reconnoitre expressément tous les dogmes. Si quelqu'un ne les reconnoit pas qu'il soit retranché de la cité mais qu'il emporte paisiblement tous ses biens. Si quelqu'un après avoir reconnu ces dogmes, se conduit comme ne les croyant pas qu'il soit puni de mort, il a commis le plus grand des crimes : il a menti devant les loix.

Les dogmes de la Religion civile seront simples, en petit nombre, énoncés avec précision, et sans explication ni commentaire. L'existence de la divinité bienfaisante, puissante, intelligente, prévoyante et pourvoyante, la vie à venir, le bonheur des justes et le châtiment des méchans, la sainteté du contract social et des loix, voila les dogmes positifs. Quant aux négatifs, je les borne à un seul c'est l'intolérance. Ceux qui distinguent l'intolérance civile et l'intolérance Ecclésiastique se trompent. L'une mène nécessairement à l'autre, ces deux intolérances sont inséparables. Il est impossible de vivre en paix avec des gens qu'on croit damnés. Les aimer ce seroit haïr Dieu qui les punit, il faut nécessairement qu'on les convertisse ou qu'on les persécute. Un article nécessaire et indispensable dans la profession de foi civile est donc celui-ci. Je ne crois point que personne soit coupable devant Dieu pour n'avoir pas pensé comme moi sur son culte.

Je dirai plus. Il est impossible que les intoléurans réunis sous les mêmes dogmes vivent jamais en paix entre eux. Dès qu'ils ont inspection sur la foi les uns des autres, ils deviennent tous ennemis, alternativement persécutés et persécuteurs, chacun sur tous et tous sur chacun. L'intolérant est l'homme de Hobbes, l'intolérance est la guerre de l'humanité. La société des intolérans est semblable à celle des démons : ils ne s'accordent que pour se tourmenter. Les horreurs de l'inquisition n'ont jamais régné que dans les pays où tout le monde était intolérant, dans ces pays il ne tient qu'à la fortune que les victimes ne soient pas les bourreaux.

Il faut penser comme moi pour être sauvé. Voila le dogme affreux qui désole la terre. Vous n'aurez jamais rien fait pour la paix publique si vous n'ôtés de la cité ce dogme infernal. Quiconque ne le trouve pas exécrable ne peut être ni chrétien ni citoyen ni homme, c'est un monstre qu'il faut immoler au repos du genre humain.

Cette profession de foi une fois établie, qu'elle se renouvelle tous les ans avec solennité et que cette solennité soit accompagnée d'un culte auguste et simple dont les magistrats soient seuls les ministres et qui réchauffe dans les cœurs l'amour de la patrie. Voilà tout ce qu'il est permis au souverain de prescrire quant à la religion. Qu'au surplus on laisse introduire toutes les opinions qui ne sont point contraires à la profession de foi civile, tous les cultes qui peuvent compatir avec le culte public, et qu'on ne craigne ni disputes de religion ni guerres sacrées. Personne ne s'avisera de subtiliser sur les dogmes quand on aura si peu d'intérêt à les discuter. Nul apôtre ou missionnaire n'aura droit de venir taxer d'erreur une Religion qui sert de base à toutes les religions du monde et qui n'en condamne aucune. Et si quelqu'un vient prêcher son horrible intolérance, il sera puni sans disputer contre lui. On le punira comme séditieux et rebelle aux loix, sauf à aller, s'il lui plaît, narrer son martire dans son pays. On eût bien de la peine à donner aux anciens l'idée de ces hommes brouillons et séditieux qu'on appelle missionnaires. Ainsi l'on réunira les avantages de la religion de l'homme et de celle du citoyen. L'état aura son culte et ne sera ennemi de celui d'aucun autre. Les loix divine et humaine, se réunissant toujours sur le même objet, les plus pieux théistes seront aussi les plus zélés citoyens et la deffense des saintes lois sera la gloire du Dieu des hommes.

Maintenant qu'il n'y a plus et qu'il ne peut plus y avoir de religion nationale exclusive, on doit tolérer toutes celles qui tolèrent les autres pourvu que leurs dogmes n'ayent rien de contraire aux devoirs du Citoyen. Mais quiconque dit : hors de l'Eglise point de salut, doit être chassé de l'état, à moins que l'État ne soit l'Eglise. Ce dogme intolérant ne doit être admis que dans un gouvernement Théocratique, dans tout autre, il est absurde et pernicieux.

3. FRAGMENTS POLITIQUES
(texte et orthographe originaux)

1

Le Peuple ne peut contracter qu'avec lui-même : car s'il contractoit avec ses officiers, comme il les rend depositaires de toute sa puissance et qu'il n'y auroit aucun garant du contract, ce ne seroit pas contracter avec eux, ce seroit reellement se mettre à leur discretion.

3

Vous m'aviez soumis par force et tant que vous avez été le plus fort je vous ai fidellement obei ; maintenant la raison qui m'assujetissoit à vous ayant cessé, mon assujetissement cesse et vous ne sauriez dire pourquoi je vous obeissois sans dire en même temps pourquoi je ne vous obeïs plus.

4

Cession qui ne peut jamais être légitime parce qu'elle est fondée sur un pouvoir qui n'est avantageux ni au maitre ni à l'Esclave et par consequent contraire au droit naturel. Car l'avantage de commander n'est, au dela du service de la personne qu'un bien imaginaire et purement d'opinion, et il est très égal pour la comodité personelle du Prince qu'il ait cent mille sujets de plus ou de moins. C'est encore moins un bien d'être contraint à l'obeissance, quand on n'a point de garant qu'on sera sagement commandé, mais qu'on puisse à son gré faire passer les peuples de maitre en maitre comme des Troupeau[x] de bétail sans consulter ni leur intérest ni leur avis, c'est se moquer des gens de le dire sérieusement.

5

Car tous les droits civils étant fondés sur celui de propriété, sitôt que ce dernier est aboli aucun autre ne peut subsister. La justice ne seroit plus qu'une chimère, et le gouvernement qu'une tyrannie, et l'autorité publique n'ayant aucun fondement légitime, nul ne seroit tenu de la reconnoitre, sinon en tant qu'il y seroit contraint par la force.

7

La mechanceté n'est au fond qu'une opposition de la volonté particuliére à la volonté publique et c'est pour cela qu'il ne sauroit y avoir de liberté parmi les méchans parce que si chacun fait sa volonté, elle contrariera la volonté publique ou celle de son voisin et le plus souvent toutes les deux, et s'il est contraint d'obeir à la volonté publique il ne fera jamais la sienne.

8

La volonté générale étant dans l'Etat la régle du juste et de l'injuste et toujours portée au bien public et particulier, l'autorité publique ne doit être que l'éxécutrice de cette volonté, d'où il suit que de toutes les espèces de Gouvernement le meilleur par sa nature est celui qui s'y rapporte le mieux; celui dont les membres ont le moins d'intérêt personnel contraire à celui du peuple; car cette duplicité d'intérets ne peut manquer de donner aux chefs une volonté particuliére qui l'emporte souvent sur la générale dans leur administration; si l'embonpoint du corps porte préjudice à la tête elle aura grand soin d'empêcher le corps d'engraisser. Si le bonheur d'un peuple est un obstacle à l'ambition des chefs que le peuple ne se flate pas d'être jamais heureux.

Mais si le gouvernement est constitué comme il doit l'être et s'il suit les principes qu'il doit avoir son prémier soin dans l'économie ou administration publique sera donc de veiller sans cesse à l'éxécution de la volonté générale qui est à la fois le droit du Peuple et la source de son bonheur. Tou[te] décision de cette volonté s'appelle loi et par consequent le premier devoir des chefs est de veiller à l'observation des loix.

12

J'ai dit ailleurs quel étoit le but de l'administration publique, et j'ai dit comment le gouvernement devoit être constitué pour tendre le plus directement à ce but; il me reste à rechercher ici ce qu'il doit faire pour l'atteindre ou pour en approcher le plus qu'il se peut.

Le but du gouvernement est l'accomplissement de la volonté générale, ce qui l'empêche de parvenir à ce but, est l'obstacle des volontés particuliéres.

15

Quand toutes les parties de l'état concourent à sa solidité, que toutes ses forces sont prêtes à se reunir pour sa deffense au besoin, et que les particuliers ne songent à leur conservation qu'autant qu'elle est utile à la sienne, alors le corps en est aussi assuré qu'il peut l'être, et resiste de toute sa masse aux impulsions étrangéres. Mais quand la chose publique est mal assise, que tout son poids ne porte pas sur la ligne de direction et que ses forces divisées et s'opposant l'une à l'autre se détruisent mutuellement le moindre effort suffit pour renverser tout cet équilibre et l'état est détruit aussitôt qu'attaqué.

16

Concluons que le cœur des Citoyens est la meilleure garde de l'Etat, qu'il sera toujours bien deffendu s'il est d'ailleurs bien gouverné, que cette partie de l'administration est tellement liée à toutes les autres qu'un bon gouvernement n'a besoin ni de trouppes ni d'alliés, et qu'un mauvais devient pire encore appuyé sur de tels soutiens.

19

La grande société n'a pu s'établir sur le modéle de la famille parce qu'étant composée d'une multitude de familles qui avant l'association n'avoient aucune régle commune leur éxemple n'en pouvoit point fournir à l'état. Au contraire l'état s'il est bien gouverné doit donner dans toutes les familles des régles communes et pourvoir d'une maniére uniforme à l'autorité du pére, à l'obéissance des serviteurs et à l'éducation des enfans.

20

Dans les Etats où les mœurs valent mieux que les Loix comme étoit la Republique de Rome, l'autorité du Pére ne sauroit être trop absolue, mais partout où comme à Sparte les loix sont la source des mœurs, il faut que l'autorité privée soit tellement subordonnée à l'autorité publique que même dans la famille la Republique commande préferablement au pére. Cette maxime me paroit incontestable quoiqu'elle fournisse une consequence opposée à celle de l'*Esprit des Loix*.

22

Ce doit etre une des premiéres loix de l'état qu'une même personne ne puisse occuper à la fois plusieurs charges, soit pour qu'un plus grand nombre de citoyens ait part au gouvernement, soit pour ne laisser à aucun d'eux plus de pouvoir que n'a voulu le legislateur.

23

Voila pourquoi l'autorité des magistrats qui ne s'étendoit d'abord que sur les h[ommes], fut bientot un droit établi sur les possessions, et voila comment le titre de chef de la nation, se changea enfin en celui de souverain du territoire.

25

Quand à cette raison vulgaire qu'il ne faut pas cesser d'occuper les gens du peuple afin de distraire son imagination des choses du gouvernement, si l'on veut qu'il soit sage et tranquille, elle est démentie par l'expérience : car jamais l'Angleterre n'a été si tranquille qu'elle l'est aujourd'hui, et jamais les particuliers ne se sont tant occupés, tant entretenus des affaires de la Nation. Au contraire voyez la frequence des revolutions en Orient, où les affaires du Gouvernement sont toujours pour le Peuple des mystéres impénétrables.
Il est fort apparent que touttes ces maximes barbares et sophistiques ont été introduittes par des ministres infidelles et corrompus qui avoient grand intérêt que leur prevarications ne fussent pas exposées au [grand jour ?].

26

S'il y a quelque souverain qui se conduise sur des maximes contraires, c'est un Tyran. Et s'il y a quelque sujet capable d'inspirer de telles maximes à son souverain : c'est un Traitre.

27

Plusieurs ont honoré la probité et recompensé la vertu, mais autre chose est le caractére du monarque, et autre chose l'esprit de la monarchie. Entendez sourdre et murmurer le Parterre au dénouëment du *Tartuffe ;* ce murmure terrible qui devroit faire frémir les Rois vous expliquera trop ce que je veux dire.

28

J[esus-]C[hrist] dont le régne n'étoit pas de ce monde n'a jamais songé à donner un pouce de terre à qui que ce soit et n'en posseda [point] lui méme, mais son humble vicaire après s'étre approprié le territoire de Cesar distribua l'empire du monde aux serviteurs de Dieu.

29

... la sagesse du gouvernement, l'activité des Loix, l'intégrité des chefs, la confiance du peuple, l'harmonie de tous les ordres et surtout le desir general du bien public...

JUGEMENTS

sur les idées politiques de J.-J. Rousseau et sur le « Contrat social ».

Grâce à notre résistance obstinée à l'innovation, grâce à la paresse froide de notre caractère national, nous portons encore l'empreinte de nos ancêtres [...], nous ne sommes pas encore, à force de subtilités, devenus sauvages. Nous ne sommes pas les adeptes de Rousseau, ni les disciples de Voltaire; Helvetius n'a pas fait fortune parmi nous; des athées ne sont pas nos predicateurs ni des fous nos législateurs. Nous savons que nous n'avons pas fait de découverte, et croyons qu'il n'y a pas de découvertes à faire en moralité; ni beaucoup dans les grands principes de gouvernement, ni dans les idées sur la liberté. [...] En Angleterre, nous n'avons pas encore été dépouillés de nos entrailles naturelles. [...] Nous n'avons pas encore été vidés et recousus pour être remplis comme les oiseaux d'un musée avec de la paille, des chiffons, et avec de méchantes et sales hachures de papiers sur les droits de l'homme.

Edmond Burke,
Réflexions sur la Révolution de France (1790).
[Cité par J.-J. Chevalier : *les Grandes Œuvres politiques*.]

Rousseau eut, en outre, cette idée que les volontés peuvent et doivent agir les unes sur les autres, que les hommes doivent travailler à leur éducation mutuelle. La vertu, dès lors, n'est plus placée dans la perfection individuelle, mais dans les justes rapports des hommes entre eux. Il doit se former une république des volontés.

E. Kant.
(Cité par É. Boutroux : *la Philosophie de Kant*, 1926.)

XIXᵉ SIÈCLE

Il est faux que la société tout entière possède sur ses membres une souveraineté sans bornes [...] Il y a une partie de l'existence humaine qui, de nécessité, reste individuelle et indépendante, et qui est de droit hors de toute compétence sociale [...] Rousseau a méconnu cette vérité, et son erreur a fait de son *Contrat social*, si souvent invoqué en faveur de la liberté, le plus terrible auxiliaire de tous les genres de despotisme.

Benjamin Constant,
Principes de politique (1815).

Il n'y a, quoi qu'on en dise, rien de sophistique à faire sortir le socialisme de l'individualisme, et il n'y a aucune contradiction entre le *Contrat social* et le temperament de Rousseau... La dissolution des groupes naturels ou artificiels qui, contenant l'individu et se contenant les uns les autres, sont enfin contenus dans l'État, est le triomphe de l'individualisme, et, du même coup, replaçant l'individu dans la situation hypothétique d'où sort le *Contrat social*, ne lui laisse d'autre ressource que le despotisme de tous sur chacun, le socialisme d'État.

Gustave Lanson,
Histoire de la littérature française (1894).

XXe SIÈCLE

Rousseau ne semble pas avoir prévu, et encore moins admis, que la vie normale d'un peuple prospère fût compatible avec l'antagonisme de plusieurs partis.

Georges Beaulavon,
Notes sur le « Contrat social » (1903).

Il [Kant] ne pose pas expressément le problème de l'organisation de la société. Rousseau, cependant, paraît avoir agi sur Kant quand il a fallu définir la moralité dans ses rapports avec le droit.

Victor Delbos,
la Philosophie pratique de Kant (1905).

En exécutant entièrement son premier projet, en appliquant à la réalité les abstractions de ce qui n'était qu'une Préface, tout auteur aurait été obligé de les limiter, de les modifier, à un haut degré : Rousseau aurait senti bien plus que beaucoup de penseurs la nécessité de telles réserves. Il n'en est pas moins vrai que, parce qu'ont été éliminées toutes ces parties, le système a paru bien plus abstrait qu'il ne l'est en réalité. Impression renforcée, d'ailleurs, par la forme si souvent oratoire de son argumentation.

C.-E. Vaughan,
Introduction au « Contrat social » (1915).

Je qualifie de métaphysiques toutes les doctrines qui voient dans l'État un être doué d'une personnalité distincte de celles des individus qui forment le groupement social, support de cet état, et un être personnel possédant une volonté qui est par nature supérieure aux volontés individuelles et n'a au-dessus d'elle aucune autre volonté [...] On ne peut constater directement l'existence que des personnes et des volontés individuelles.

Duguit,
J.-J. Rousseau, Kant et Hegel (1918).

La volonté générale n'est que la moyenne de toutes les volontés individuelles en tant qu'elles se donnent pour fin une sorte d'égoïsme abstrait à réaliser dans l'état civil.

Émile Durkheim,
le « Contrat social » de Rousseau (1918).

Le *Contrat social* compte à peine pour les lecteurs du XVIIIe siècle. Ni les journaux, ni les critiques, ni les correspondances et mémoires ne le discutent ; c'est à peine s'ils l'analysent en passant. On n'a pas écrit sur cet ouvrage dix lignes pour dix pages qu'on écrivait sur *la Nouvelle Héloïse*, ou l'*Emile* [...] Depuis la Révolution, au contraire, le *Contrat social* est réputé l'une des grandes œuvres de Rousseau.

J. Bédier et P. Hazard,
Littérature française (1924).

On a dit qu'il [le *Contrat social*] contredisait le *Discours sur l'inégalité*, mais c'est à tort. Le *Discours* nous dépeint un état social qui détruit toutes les qualités de l'homme à l'état de nature ; le *Contrat* prétend trouver une origine de l'état social qui conserve ces qualités.

Émile Bréhier,
Histoire de la philosophie (1926).

Rien d'étonnant, si la plus grande confusion règne parmi les commentateurs [du *Contrat social*]. C'est comme un cliché de photographie négatif où tout est exactement représenté, mais ce qui est réellement blanc apparaît noir, et *vice versa*.

Albert Schinz,
la Pensée de J.-J. Rousseau (1929).

Le premier et peut-être le seul qui ait gratté le pouvoir jusqu'à l'os.

Alain,
Propos de politique (1934).

L'originalité de Rousseau est moins dans l'invention des idées, dont beaucoup avaient été exprimées avant lui, que dans le fait de coordonner ces idées, de les rattacher à un principe commun et de les enchaîner entre elles par l'ardeur pressante et la puissante logique des développements.

Ph. van Tieghem,
J.-J. Rousseau (1936).

Rousseau, qu'il ne faut pas ne savoir qu'opposer à Montesquieu, disait de calquer « la dépendance des hommes » sur la « dépendance des choses ».

Georges Davy,
Revue de métaphysique et de morale (1939).

L'extraordinaire *Contrat social* ne disait point ce qui est, ou a été, ni même ce qui sera; encore moins ce qui sera sans déchet, sans faillite, sans erreurs, mais ce qu'il faut qui soit et ce qui doit être, sous peine que soit déshonorée en l'homme l'humanité [...] Mais sa haute doctrine, qui opposait si violemment l'idéal au réel, et dont l'attrait [...] n'a point vieilli, recélait peut-être, cependant, une ambiguïté, [...] dont nous avons plus tard beaucoup souffert [...] Rousseau l'individualiste, Rousseau l'annonciateur de l'autonomie de la volonté, en proclamant qu'en droit la volonté générale est souveraine, créait un être, la nation, qui pourrait, un jour, devenir un tyran.

> J.-R. Carré,
> *la Conquête de la liberté spirituelle*,
> dans la *Revue de métaphysique et de morale* (1939).

Création d'un ordre entièrement nouveau et d'un ordre nécessairement juste par le contrat : là est l'originalité de Rousseau.

> Maurice Halbwachs,
> *Introduction au « Contrat social »* (1943).

On a vu prendre forme, au fur et à mesure de la lecture, le rêve politique de Rousseau. Rêve individualiste au début mais qui s'achève en rêve communautaire et étatiste, où s'exprime la nostalgie du tout social [...], appel passionné à la raison, à la justice, à la moralité, à la vertu. Vertu, comme l'entendait Montesquieu, entraînant renoncement à soi-même, épuration de soi par amour de la patrie.

> J.-J. Chevalier,
> *les Grandes Œuvres politiques* (1948).

Du Contrat social de Rousseau : l'entrée du sentiment et de la passion politique dans la science politique.

> André Siegfried,
> préface au livre de J.-J. Chevalier :
> *les Grandes Œuvres politiques* (1948).

Les historiens, les économistes, les philosophes attribuent bien des causes à nos révolutions. Mais le principe éternel des révolutions n'est rien d'autre sans doute que l'angoisse de la vérité et la volonté passionnée, qui quelquefois naît dans une conscience plus exigeante, d'accorder, coûte que coûte, le désordre du monde et une idée du juste et du vrai qu'elle a toute seule formée.

> Jean Guéhenno,
> *Jean-Jacques* (1948-1952).

Audace de la pensée, précision du vocabulaire, le *Contrat social* a encore d'autres mérites : il est écrit dans une langue qui frappe et émeut. Maniant habilement l'ironie et la métaphore, passant des allusions aux constitutions établies aux déclarations de principe, usant de paradoxes (faits pour plaire aux beaux esprits) et de formules hardies (destinées à toucher le peuple), l'auteur plaide la cause du citoyen avec une éloquence et une chaleur qui ne devaient pas tarder à émouvoir.

Bernard Gagnebin,
Introduction aux *Œuvres complètes* de J.-J. Rousseau,
Bibliothèque de la Pléiade, III, Gallimard, 1966.

Si l'*Emile* et le *Contrat social* forment ensemble un seul tout, c'est donc parce qu'ils nous présentent chacun un des deux objectifs visés par l'auteur, une des deux options qu'il nous propose et qu'il faut lire le tout pour avoir un exposé complet de sa pensée. L'*Emile* s'adresse aux hommes des sociétés corrompues pour qu'ils se préservent eux-mêmes de la corruption, tandis que le *Contrat social* est destiné aux peuples qui ont su conserver leur liberté.

Robert Derathé,
Introduction au *Contrat social*,
ibidem, 1966.

Il se place au cœur du problème, par l'un de ces débuts abrupts qu'il affectionne : « L'homme est né libre et partout il est dans les fers [...] Comment ce changement s'est-il fait ? Je l'ignore. Qu'est-ce qui peut le rendre légitime ? Je crois pouvoir résoudre cette question. » Il ne se pose pas en historien. Sa pensée, certes, s'appuie sur les exemples historiques. Mais conclure du fait au droit, c'est commettre un abus. Quand et où fut conclu le contrat ? Il admet que « ses clauses peut-être n'ont jamais été formellement énoncées ». Il lui importe peu que la conclusion du pacte constituant la société suppose que cette société existe déjà. Sa pensée, ici toute normative, fonde la légitimité de l'autorité sociale sur une hypothèse juridique : il faut raisonner comme si les hommes, nés tous parfaitement libres et indépendants, avaient créé par contrat un corps moral collectif, chacun remettant à celui-ci, totalement et sans réserve, sa personne et tous ses biens. Devenu partie indivisible du tout, l'individu participe au souverain, de telle sorte que sa condition de sujet fonde sa liberté.

René Pomeau,
in *Littérature française*, II,
Larousse, 1969.

QUESTIONS SUR LE « CONTRAT SOCIAL »

LIVRE PREMIER (p. 19 à 36).

— Pourquoi le « droit du plus fort » est-il discutable ?
— Que cherche Rousseau dans son œuvre ?
— De quoi s'agit-il dans ce premier livre ?
— Y a-t-il une gradation du chapitre Ier au chapitre IX ?
— Qu'est-ce que le « domaine réel » ? s'identifie-t-il avec la possession à l'état de nature ?
— Qu'est-ce qu'un souverain ? L'idée de Rousseau est-elle inattendue ?
— La force permet-elle des conventions ?
— Qu'est-ce qu'un pacte ?
— L'homme retrouve-t-il tout ce qu'il a perdu en concluant le pacte social ?
— Quelle idée Rousseau se fait-il des premières sociétés ?

LIVRE II (p. 36 à 61).

— Pourquoi Rousseau aborde-t-il ici seulement la souveraineté ?
— Quelles sont les caractéristiques de la souveraineté ? du souverain ?
— Qu'est-ce que la volonté générale ? Est-elle comparable à la « bonne volonté » de Kant ?
— En quoi le souverain diffère-t-il d'un roi ?
— La peine de mort est-elle juste ? En quels cas ?
— Comment le législateur apparaît-il ? En vertu de quelle nécessité ?
— Quelles doivent être ses qualités ?
— Comment se dégage l'art du législateur à propos des chapitres VIII, IX, X, XI ?
— La volonté du législateur est-elle la volonté générale ?
— Le souverain est-il absolu ?

LIVRE III (p. 61 à 90).

— Qu'est-ce que le gouvernement ?
— En quoi diffère-t-il du souverain ?
— Confondre gouvernement et souverain serait-il grave ? Pourquoi ?
— Qualités et défauts de la démocratie.
— Qualités et défauts de l'aristocratie.
— Qualités et défauts de la monarchie.
— Comparaison du gouvernement avec l'homme. Est-elle intéressante ? Pourquoi ?
— Qu'est-ce qu'un abus de pouvoir ?
— La « division des pouvoirs » est-elle bonne ?
— Que doit éviter le peuple souverain pour ne pas périr ?

Livre IV (p. 90 à 114).

— A quoi servent les votes et les élections ?

— La notion de majorité est-elle morale ?

— Dans les institutions romaines décrites au chapitre IV, tout vous paraît-il juste et moral ?

— La peinture des mœurs romaines. Quel peintre célèbre s'en est inspiré par la suite ?

— Les tribuns étaient-ils un bien ou un mal pour la République ?

— Un dictateur est-il un despote ou un tyran, selon Rousseau ?

— La censure est-elle morale et bonne ?

— La religion civile vous semble-t-elle préférable ou inférieure à la religion naturelle ?

— Intolérance religieuse et civile. Les violentes accusations de Rousseau sont-elles fondées ?

— En quoi le dernier chapitre ajoute-t-il à l'ensemble de l'œuvre ?

Conclusion (p. 114).

— Pourquoi Rousseau insiste-t-il sur le fait que son œuvre n'est qu'un fragment ?

SUJETS DE DEVOIRS

Lettres :

— Un peu avant de faire paraître l'ouvrage, Rousseau écrit une lettre où il entreprend de résumer le *Contrat social* à sa femme Thérèse Levasseur, âme simple. Vous rédigerez cette lettre, qui doit exprimer l'essentiel sous une forme accessible à tous.

Dissertations :

— Le *Contrat social* vous semble-t-il justifier cette pensée de Gœthe : « Avec Voltaire c'est un monde qui finit. Avec Rousseau c'est un monde qui commence » ?

— Étudiez le jugement de Benjamin Constant cité à la fin de ce recueil. Vous semble-t-il juste et objectif ?

— Le *Contrat social* vous semble-t-il une œuvre philosophique ? Justifiez votre opinion.

— Ce que vous savez de la littérature et de l'esprit du XVIIIe siècle vous amène-t-il à ranger Rousseau parmi les écrivains représentatifs de ce siècle ? Justifiez votre réponse.

— En quoi, à votre avis, le *Contrat* prépare-t-il la Révolution française ?

— Le style du *Contrat*. Essayez de le qualifier, en reprenant quelques passages de l'œuvre.

— Comment le caractère de Rousseau se manifeste-t-il dans le *Contrat* ?

— Commentez cette phrase de Rousseau : « Comme, dans la constitution de l'homme, l'action de l'âme sur le corps est l'abîme de la philosophie, de même l'action de la volonté générale sur la force publique est l'abîme de la politique dans la constitution de l'État. » (*Du contrat social*. Manuscrit de Genève.)

— La morale et la politique de Rousseau, comparées à la morale kantienne.

— La notion de souveraineté chez Rousseau.

— Peut-on dire de Rousseau qu'il est « humaniste » ? Justifiez votre réponse à l'aide du *Contrat social*.

— Rousseau se rapproche-t-il de Descartes ? Indiquez, si oui, par quelles notions.

— Quels penseurs modernes évoque pour vous le *Contrat social* ?

— L'Antiquité et le *Contrat social*. Le goût de Rousseau pour les institutions et les mœurs de Rome vous semble-t-il justifié ?

— Un dictateur est-il un despote ou un tyran ? La pensée de Rousseau en cette matière vous satisfait-elle ?

On étudiera le *Contrat social* à la lumière de ce jugement de René Pomeau : « Par l'idée de contrat, [Rousseau] donne un sens plein au mot *citoyen :* faisant étroitement corps avec la Nation, auteur de la loi à laquelle il se trouve totalement soumis, le citoyen est proposé par Rousseau comme un idéal exaltant. Leçon qui n'a pas cessé de porter ses fruits. »

Dans quelle mesure le *Contrat social* vous paraît-il justifier la maxime de Rousseau aux Polonais : « Le repos et la liberté sont incompatibles : il faut opter » ?

Commentez ce jugement de Bernard Gagnebin sur le *Contrat social* : « Sans doute y a-t-il une part d'utopie dans les rêveries politiques de celui qui a promené un regard solitaire non seulement sur son moi, mais encore sur le monde. L'Etat qu'il imagine est une République austère, fondée sur le culte de la vertu et sur l'amour de la simplicité, une République où les intérêts privés céderaient automatiquement le pas à l'intérêt général, où le bien-être et l'indépendance iraient de pair, où, selon une de ses formules, « tout le monde vive et personne ne s'enrichisse » ; une République où les hommes seraient vraiment dignes de leur condition d'homme, — c'est-à-dire qu'aucun individu ne pourrait opprimer son prochain —, et où les distinctions ne reposeraient que sur le mérite, sur la vertu ou sur les services rendus à la patrie ; une République enfin où la liberté serait une conquête perpétuelle. »

TABLE DES MATIÈRES

Mame Imprimeurs - 37000 Tours
Dépôt légal Janvier 1973. - N° 23831. - N° de série Éditeur 15512
IMPRIMÉ EN FRANCE. *(Printed in France).* - 870 165 I. Mai 1990.